Andere grote voorleesboeken van Leopold:

Leopold leest voor
Aan tafel met Leopold
Alle dagen dierendag
Allemaal naar groep één
Buiten spelen
Vakantie!
Hoera, vakantie!
Winterpret

www.leopold.nl

Eerste druk 2007

Omslagillustratie Harrie Geelen
Omslagontwerp Petra Gerritsen
Vormgeving binnenwerk Studio Cursief, Amsterdam
Samenstelling en redactie: Dorine Louwerens
dorine.louwerens@deboekenmaker.nl
NUR 277 / ISBN 978 90 258 4994 8

Olifantje in het bos

Mijn allereerste grote voorleesboek

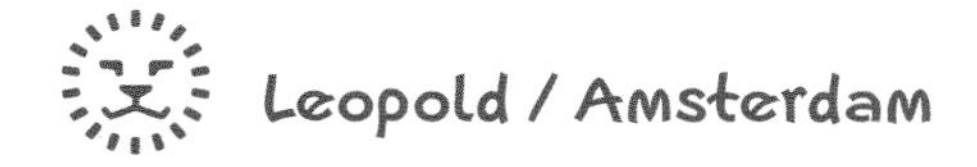

Inhoud

Roosje kreeg een broertje

Imme Dros / Harrie Geelen

Roosje kreeg een broertje.
Hij kwam op een zondag
om twaalf uur precies
toen Roosje er even niet was.

Hij lag maar wat te liggen
in een blauwe wieg
onder een blauw dekentje.
Dat was alles.

Hij had geen haar.
Hij had geen tanden.
Hij hield zijn ogen dicht.
En zijn mond ook.

Roosje mocht er niets mee.
Niet dragen, niet in bad doen.
Hij was overal te klein voor.
Wat had je aan zo'n broertje?

Urenlang sliep hij.
Dan moest Roosje stil zijn.
Maar als hij wakker was,
dan brulde hij. Urenlang.

'Bah,' zei Roosje.
'Jij bent een rotbroertje.
Ga maar weer weg.
Ik hoef jou niet.'

Broertje deed zijn ogen open.
Blauw! Bloemetjesblauw.
Ach, tanden kreeg hij nog wel
en haar ook.

Roosje maakte een vlag voor hem.
Hoezee hoezee hoezee
voor Pietertje Dré.
(Zo heette het broertje dat Roosje kreeg.)

Ik hou van jou... *Sam McBratney / Anita Jeram*

'Ik hou van jou helemaal tot aan de maan,' zegt Hazeltje
en hij doet zijn ogen dicht.

'Dát is ver,' zegt Grote Haas.
'Dat is heel, heel erg ver.'

Grote Haas legt Hazeltje voorzichtig in zijn bedje van varens.

Hij geeft hem een nachtzoen.
'Slaap lekker,' zegt hij.

En terwijl Grote Haas
dicht naast Hazeltje gaat liggen,
fluistert hij: 'Ik hou van jou
helemaal tot aan de maan –

EN TERUG.'

Met potjes en pannetjes

Tamara Bos / Jan Jutte

Brammetje wipt heen en weer op de bank.
Opa is op bezoek. Al de hele dag.
Omdat het Kerstmis is.
Ze hebben gewandeld. En een spelletje gedaan.
En ze gaan zo aan tafel. Voor het kerstdiner.
Tenminste... Ze gaan eten met potjes en pannetjes.
Zo noemt mama het als ze gaan gourmetten.
Dan mag iedereen zelf zijn eten klaarmaken, in kleine pannetjes.
Stukjes vlees, maar ook aardappeltjes. Of een eitje.
Dat is handig voor mama omdat ze dan niet alles in de keuken hoeft te doen.
Ze kan er gewoon gezellig bij blijven zitten.
Iedereen bakt zijn eten dan zelf. Brammetje ook.
Hij holt naar de eettafel. Alles staat al klaar.
De borden en het bestek. De schaaltjes met sausjes.
En op het midden van de tafel staat de bakplaat.
Daar moet je heel voorzichtig mee zijn, want die wordt erg heet.
'Wanneer beginnen we?'
Mama kijkt op haar horloge.

‘We gaan beginnen,’ lacht ze.
Ze zitten aan tafel.
Mama zit naast papa. En Brammetje zit naast opa.
Opa kijkt naar de bakplaat op tafel.
‘Kijk opa,’ zegt Bram. ‘Dit is je pan. En hier is je spatel.
Om in het pannetje te roeren.’
Opa knikt. Maar het lijkt alsof hij het niet echt snapt.
Brammetje laat voorzichtig een klontje boter in zijn pannetje glijden.
Dan kijkt hij naar opa.
Opa doet niks. Die zit raar naar zijn pannetje te kijken.
‘Moet ik het zelf doen?’ vraagt hij.
Brammetje knikt. ‘Dat is toch leuk?’
Opa haalt zijn schouders op.
‘Ik moet elke dag al voor mezelf koken,’ fluistert hij.
‘Ik dacht dat ik vandaag verwend werd.’
Brammetje knikt. Hij snapt het.
‘Dan kook ik vandaag voor jou,’ zegt Bram.
Hij pakt opa’s pannetje en laat er een klontje boter in glijden.
Opa lacht. Hij is natuurlijk blij dat ik voor hem wil koken, denkt Brammetje.
En ik ben blij omdat ik twee pannetjes heb.
Twee pannetjes om eten in te bakken.

Oma en Krullenbeer

Mieke van Hooft / Saskia Halfmouw

De oma van Sebastiaan ligt in het ziekenhuis.

Ze ligt in een hoog bed. Daar kun je onderdoor kijken zonder dat je op je knieën hoeft te gaan zitten.

'Dag Sebastiaan,' zegt ze.

Sebastiaan verstopt zijn gezicht een beetje in papa's jas. Papa moet erom lachen. 'Wat is er nu? Waarom doe je zo verlegen? Dat hoeft toch niet! Zeg eens dag tegen oma.'

Sebastiaan gluurt onder papa's mouw door naar de mevrouw in het bed. Een mevrouw met een wit gezicht. Een mevrouw met een nachtjapon aan. Dat is zijn oma toch niet!

Er staan nog meer bedden in de kamer. Sebastiaan kijkt naar de mensen die erin liggen.

'Wat zie ik, Sebastiaan? Heb je een tekening voor me meegebracht?' klinkt oma's stem.

Sebastiaan kijkt weer naar het witte gezicht in het bed dat vlak naast hem staat. Het is tóch oma die daar ligt. 'Dag!' fluistert hij.

Oma pakt de tekening aan. 'Dat is de straat,' zegt ze. 'En dat is mijn huis.' Haar vinger gaat over het papier. 'Dat heb je mooi gemaakt. Die hang ik aan de muur. Dan kan ik er steeds even naar kijken.

Omdat oma nog niet uit bed mag, hangt mama de tekening op. Ze plakt hem op het raam, bij de deur. Dat is een mooi plaatsje.

Op een tafel staat een mand met fruit.

'Wil je een appeltje, Sebastiaan?' vraagt oma.

In de mand liggen ook lekkere bananen en druiven.

Sebastiaan schudt zijn hoofd. 'Nee,' zegt hij, 'appeltjes hebben we thuis genoeg.'

Oma glimlacht. 'Je mag ook wel iets anders nemen.'

Dat wil Sebastiaan wel. Hij pakt een banaan en begint te eten, lekker bij mama op schoot. En omdat hij Krullenbeer voor de gezelligheid heeft meegebracht, krijgt Krullenbeer af en toe ook een hapje.

Als ze al een poosje bij oma's bed hebben gezeten, klinkt er in de gang een harde bel. Net zo'n bel als op school.

Sebastiaan laat zich van mama's schoot glijden. Hij pakt oma's arm. 'Nou mag je naar huis!'

'Ik niet,' antwoordt oma. 'De mensen die hier op bezoek zijn, díé gaan nu naar huis. Jij ook. Maar de zieke mensen moeten hier blijven. Daar is niets aan te doen.'

Sebastiaan aait over oma's hand. 'Thuis is het veel fijner,' zegt hij.

Dat vindt oma ook. Haar gezicht ziet er ineens heel verdrietig uit. Daarom mag Krullenbeer ook een keer over oma's hand aaien.

Oma geeft Sebastiaan een kus. 'Wat heb jij toch een lieve beer!' zegt ze. 'Zorg maar goed voor hem.'

Sebastiaan knikt. En meteen bedenkt hij een plan. Hij trekt oma aan de mouw van haar nachtjapon. 'Zal ik Krullenbeer bij jou laten? Voor één nachtje? Dan ben je niet zo alleen.'

Oma kijkt snel naar papa en mama. 'Zou je dat wel doen? Kun je dan zelf wel slapen?'

Sebastiaan aarzelt een beetje. Maar dat duurt niet lang. 'Ikke wel!' roept hij.

'Weet je het zeker?' vraagt oma nog een keer.

Maar Sebastiaan heeft Krullenbeer al bij haar in bed gestopt.

Oma kijkt helemaal niet meer verdrietig. En de mevrouwen in de andere bedden worden ook vrolijk.

'Dank je wel, hoor,' zegt oma. 'Dat is erg lief van je.'

Sebastiaan stopt Krullenbeer nog wat beter onder. 'Het is maar voor één nachtje,' fluistert hij. 'Dus je hoeft niet te huilen.'

Maar Krullenbeer huilt niet. Hij ligt lekker warm tegen oma aan.

Logeren

Hans & Monique Hagen / Marit Törnqvist

ik ga het proberen
voor de eerste keer logeren

ik blijf helemaal alleen
bij oma vinkeveen
als ik straks ga slapen
is het al heel laat
dan bel ik mama even op
om te vragen hoe het gaat
dan zeg ik haar welterusten
door de telefoon
omdat ik nu een nachtje
bij mijn oma woon

ik ga het proberen
want logeren kun je leren

Grote families en kleine families

Catherine / Laurence Anholt

Mama, papa, tante Trijn,

Annet, Sanne, oom Martijn,
oma, opa, baby Bas,
Jelle, Pelle, Elias,

stapels nichtjes
wijd en zijd,

Vonne's vogel,

Sam de geit,

Jetty, Jascha, Joost en Job,
Belle, Berber, Bram en Bob,

nog wat neefjes,
broers en zusjes,

lekker druk
en lekker knusjes,
tante Rie

uit Reykjavik
en de laatste?
Dat ben...

Ik!

Ik en mama Lily
zijn een tweepersoonsfamilie.

Een leuke tweeling

Marianne Busser & Ron Schröder / Harmen van Straaten

Er waren eens twee jongetjes
die alles samen deden
ze kwamen elke morgen vroeg
hun bedjes uitgegleden

Ze renden naar beneden
in pyjama op hun sokken
en aten vlug een boterham
met pindakaas of vlokken

Dan trokken ze hun kleertjes aan
hun truien en hun broekjes
en gingen samen in de kast
op zoek naar snoep en koekjes

Ze hadden heel veel speelgoed
waar ze fijn mee konden spelen
ze hoefden zich beslist niet
met zijn tweetjes te vervelen

Ze konden samen kleuren
en ze konden samen kleien
ze hadden heel veel autootjes
om lekker mee te rijden

Soms gingen ze gezellig
met elkaar een stukje fietsen
of lagen samen in het gras
gewoon maar wat te nietsen

Ze werden echt door iedereen
verschrikkelijk verwend
zo gaat dat als je samen
een leuke tweeling bent

Potverdrie!

Virginia Miller

Bartolomeus dacht plotseling:
POTVERDRIE!!!

Hij begon te rennen...

en hij rende...

zo snel als hij kon...

en kwam nog maar net op tijd...

bij zijn potje!

Heel trots stapte hij van zijn potje af

om Eduard het grote nieuws te vertellen.
Hij kreeg een heerlijke knuffel!

Luilekkerland

Dolf Verroen / Jet Boeke

Mark heeft een buikje. Een lekker zacht, heel dik buikje.

'Net een kussentje,' zegt papa.

Toch eet Mark niet veel. Hij houdt niet van lof en van spruitjes. Kool kan hij niet door zijn keel krijgen en met peentjes kun je hem het huis uit jagen. Papa is dol op spinazie, maar Mark niet. Van spinazie wordt hij misselijk. Net als van doperwtjes en van boontjes.

'Je bent vreselijk,' zegt mama soms. 'Jij lust niks, niks, niks!'

Dat is niet waar. Mark is dol op frietjes. En pasta met tomatensaus vindt hij lekker. En drop natuurlijk. Hij kan bergen drop op. Bruine drop, zwarte drop, zoete en zoute drop en gekleurde drop – hij vindt het allemaal heerlijk.

Hij houdt ook veel van zwart-wit. En van spekkies en kauwgumballen. En hij is dol op chocola en koekjes. Hij kan wel een kilo bonbons of zuurtjes op en dan is hij nog niet misselijk.

'O, Mark,' zegt mama. 'Pas toch op. Straks ben je net zo dik als opa.'

'Die wordt ook zó verwend door oma,' zegt papa. 'Opa woont in Luilekkerland. Volgens mij groeien daar de koekjes en de kauwgumballen aan de bomen.'

Mark is wel eens bij opa en oma geweest, maar daar heeft hij nooit iets van gemerkt.

'Toch is het zo,' zegt papa.

'Dan ga ik liever bij oma eten,' zegt Mark.

'Bel haar maar op,' zegt mama en dat doet Mark meteen.

'Gezellig,' zegt oma. 'Maar je moet wel een heleboel eten, hoor. Wij wonen niet voor niks in Luilekkerland.'

Oma komt Mark ophalen met de auto.

Mark denkt de hele weg aan oma's Luilekkerland.

Hoe zou het daar zijn?

Zou het er echt hagelslag regenen?

Zou er chocola aan de bomen groeien?

Zouden de tuinpaadjes van marsepein zijn? En opa's duivenhok van koek?

Misschien wonen opa en oma wel in een sprookje! Het zou kunnen... Hoewel, hij heeft nog nooit gezien dat er bij oma drop aan de struiken groeide. Of dat de keukenstoel van koek was.

Misschien heeft papa een grapje gemaakt en moet hij straks andijvie eten met vieze gehaktballen.

Getsie, getsie, getsie! Van andijvie wordt hij ziek, doodziek. En van gehaktballen krijg je diarree.

Oma en opa wonen nog steeds in hetzelfde huis. En ze hebben nog steeds dezelfde poes.

'Wat gezellig dat je komt eten,' zegt opa. 'Straks gaat de deur van Luilekkerland open. Dan gaan we smullen, Mark.'

'We gaan eerst theedrinken,' zegt oma. 'Ga je mee koekjes plukken, Mark?'

Oma pakt een schaaltje en gaat met Mark de tuin in.

'Dat is de koekjesstruik,' zegt ze.

Er hangt niet veel aan. Eén, twee, drie Weespermoppen, die oma alle drie afplukt.

Mark kijkt of hij een struik met wafeltjes ziet - want wafeltjes zijn lekkerder dan Weespermoppen – maar alle struiken zijn leeg.

'Dat is altijd in het voorjaar,' zegt oma. 'Maar als je van de zomer komt... jongen, jongen, dat wordt smullen.'

Om zes uur precies gaat de deur van Luilekkerland open, heeft opa gezegd. Na de thee zitten ze samen op de tuinbank te wachten. Eerst doen ze een spelletje Mens erger je niet. Mark kan haast niet opletten. Hij denkt voortdurend aan eten. Wat zou hij krijgen?

Eindelijk mogen ze naar binnen.

Kijk nou eens! De tafel staat vol vieze dingen: vlees met witte randjes, dikke jus met vetogen erop en bloemkool met witte pap erover. En een bak vol vieze, uit elkaar gevallen aardappels.

'Nou?' zegt opa. 'Is dat Luilekkerland of niet?'

Mark durft niets te zeggen.

Opa en oma zitten lekker te smullen, maar Mark niet. Het vlees smaakt naar poep en de bloemkool met aardappels naar ouwe onderbroeken.

Gelukkig heeft oma pudding toe.

Maar in de pudding zitten klontjes. En die zijn zo vies, dat Mark moet overgeven. Hij gaat zo hard huilen, dat oma hem naar huis brengt.

Mama heeft nog tomaatjes en kaas en een lekkere sinaasappel. Mark hoeft niet met honger naar bed. Hij wil nog wel weer eens naar oma en opa, maar nooit meer naar hun Luilekkerland.

Het is thuis toch lekkerder!

Bad

Annie M.G. Schmidt / Harrie Geelen

Kijk, wie zit daar in het bad?
Pippeloentje, Pippeloentje!
En hij spettert en hij spat.
Hij maakt heel de kamer nat.

Daar zit beertje in de tobbe.
Mamma beer gaat aan het schrobben
en aan 't wassen met een spons.
Foei, zegt ze, dat kind van ons
zit vol modder en vol grind.
Wat een smerig bere-kind!
Dat komt van het slootjespringen.
Altijd doe je stoute dingen!
Andere beertjes zijn veel netter!
Hou toch op met dat gespetter.
Komt de zeep weer in je ogen?
Zo, nu zullen we je drogen.
Dan wordt Pippeloentje even
met een handdoek afgewreven.
Denk erom, zegt moeder beer,
slootjespringen mag niet meer!

Laatst moest ik zomaar

Hans Kuyper / Annemarie van Haeringen

Laatst moest ik zomaar
opeens naar mijn bed.
En de visite was er nog maar net!
Dus ging ik schreeuwend
en tegen mijn zin
op papa z'n schouders mijn kamertje in.

Boos. Zo boos!
Zo billenballenboos...
Daar ben ik niet meteen vanaf.
Dat duurt nog wel een poos.

Ik wou een ijsje,
toch kreeg ik er geen.
Dat was ontzettend, geweldig gemeen.
Maar ik moest huilend
en tegen mijn zin
mokkend met mama een modezaak in.

Boos. Zo boos!
Zo bonteberenboos...
Daar helpt geen hoedje tegen, hoor.
Vooral niet met een roos.

Huilen en krijsen
en stampvoeten, vaak...
Steeds als ik boos ben, is het weer raak.
't Ergste is:
het heeft geen enkele zin.
Toch trap ik iedere keer er weer in.

Boos. Zo boos!
Zo bottebijlenboos...
Ik pak de hele wereld in
en stop hem in een doos.
Zo!

Beer heeft altijd wat

Nannie Kuiper / Dagmar Stam

's Avonds in bed
is er altijd wel wat,
altijd wel wat met Beer.
Dan hééft hij het weer,
voor de zoveelste keer:

pijn in zijn oor,
jeuk aan zijn arm,
voeten te koud,
handen te warm...

Je kunt het zo gek niet verzinnen,
of het gaat 's avonds
bij Beer weer beginnen.

’s Morgens heeft Beer
nergens last van.
’s Morgens is Beer
altijd blij.
Dan pakken ze vast
brood uit de kast,
met boter en
bergen hagelslag.
Omdat het,
je weet het maar nooit,
aan tafel misschien niet meer mag.

Samen

Burny Bos / Jan Jutte

'Zelf doen!' schreeuwt Ot Jan Dikkie. 'Ik kan het heus wel zelf, omdat ik groot ben.'

Hij probeert zelf zijn jas dicht te doen. Maar de ritssluiting is te moeilijk.

'Zullen we het samen doen?' vraagt mama.

'Ja, samen,' zegt Ot Jan Dikkie. Samen met mama doet hij zijn jas dicht.

'Nu gaan we,' zegt mama. Ze doet haar eigen jas dicht en wil de deur opendoen.

'Samen,' zegt Ot Jan Dikkie. Hij wil samen met mama de deur opendoen.

Mama tilt hem op. Samen trekken ze aan het slot. De deur gaat open.

Ze staan buiten. Samen met Ot Jan Dikkie doet mama de deur dicht. Samen doen ze de deur van de auto open en samen stappen ze in.

'Ik wil op jouw stoel,' zegt Ot Jan Dikkie. Hij kruipt achter het stuur.

'Dat kan echt niet,' zegt mama, maar Ot Jan Dikkie vindt van wel. Hij drukt op de toeter.

'Ik kan al goed toeteren, omdat ik groot ben,' zegt hij.

Mama kan alleen maar knikken.

'En aan het stuur draaien kan ik ook.'

Mama vindt Ot Jan Dikkie eigenlijk wel een leuk ventje. Ze geeft hem een kus op zijn bol.

'Nou, vooruit,' zegt mama, 'een klein stukje. Maar dan gaan we wel in de riemen.'

Ot Jan Dikkie vindt nu alles goed. Samen zitten ze in de riemen en samen houden ze het stuur vast. Samen rijden ze heel voorzichtig over de weg.

Ze zijn bij de crèche. Mama stopt de auto. Ze wil de riemen losmaken. Maar Ot Jan Dikkie wil het samen doen.

'Dat gaat niet,' zegt mama, 'doe het maar alleen. Druk maar op het rode knopje.'

Tevreden drukt Ot Jan Dikkie op het knopje. De riemen schieten los. Hij lacht trots.

'Vind jij mij groot?'

‘Heel groot,’ zegt mama.
Ot Jan Dikkie knikt. ‘Ik ben héél groot.’
Plotseling trekt hij aan de knop van de deur. De deur gaat open.
Mama schrikt ervan.
‘OT JAN DIKKIE!’ schreeuwt ze. ‘Dat is veel te gevaarlijk. Je mag de deur niet zelf opendoen.’

‘Samen?’ vraagt Ot Jan Dikkie.
Mama schudt haar hoofd. ‘Sommige dingen kunnen niet samen. Zul je dat nooit meer doen?’
‘Als ik heel groot ben,’ zegt Ot Jan Dikkie, ‘mag ik de deur wel opendoen.’
‘Dan wel,’ zegt mama, ‘maar dat duurt nog even.’
Ze tilt Ot Jan Dikkie uit de auto en samen lopen ze de crèche in.

Ik ben lekker stout

Annie M.G. Schmidt / Harrie Geelen

Ik wil niet meer, ik wil niet meer!
Ik wil geen handjes geven!
Ik wil niet zeggen elke keer:
jawel mevrouw, jawel meneer...
nee, nooit meer in m'n leven!
Ik hou m'n handen op m'n rug
en ik zeg lekker niks terug!

Ik wil geen vieze havermout,
ik wil geen tandjes poetsen!
'k Wil lekker knoeien met het zout,
ik wil niet aardig zijn, maar stout
en van de leuning roetsen
en schipbreuk spelen in de teil
en ik wil spugen op het zeil!

En heel hard stampen in een plas
en dan m'n tong uitsteken
en morsen op m'n nieuwe jas
en ik wil *overmorgen* pas
weer met twee woorden spreken!

En ik wil alles wat niet mag,
de hele dag, de hele dag!

En ik wil op de kanapee
met hele vuile schoenen
en ik wil aldoor gillen: *nee!*
En ik wil met de melkboer mee
en dan het paardje zoenen.

En dat is alles wat ik wil
en als ze kwaad zijn, zeg ik: *bil!*

De kinderkrokodil

Hans Kuyper / Annemarie van Haeringen

Het spannendste dier van de kinderboerderij woont tussen de konijnenhokken en de schapenwei in een vieze moddersloot. Fleur heeft het op een middag, lang geleden, ontdekt. Ze was net bij de lammetjes geweest. Twee eenden zaten elkaar in het water achterna en Fleur rende naar het hekje om ze beter te kunnen zien. En toen dreef daar, in de sloot vlak voor haar voeten, een krokodil.

Papa wilde het eerst niet geloven.

'Welnee,' zei hij, 'dat is gewoon een oude boomstam.'

Maar toen hij beter keek, zag hij het ook. Het was een krokodil, met ogen en al. Een krokodil die erg op een boomstam léék, dat wel. Maar toch een echte krokodil.

Fleur was er een beetje bang voor.

Papa zei dat dat niet hoefde.

'Er zijn geen gevaarlijke dieren op de kinderboerderij,' zei hij. 'Ik denk dat dit een speciale krokodil is. Een kinderkrokodil. Zo eentje die heel stil in het water ligt en af en toe knipoogt naar kleine meisjes.'

En ja, de krokodil knipoogde meteen. Fleur zag het duidelijk.

Dus hebben Fleur en papa hun eigen plekje op de kinderboerderij. Zo gauw ze door het hek zijn, rent Fleur naar de moddersloot om gedag te zeggen. En als ze weer naar huis gaan, nemen ze altijd als laatste afscheid van de kinderkrokodil. Het is een geheim van hen tweeën alleen. Niemand, helemaal niemand anders weet ervan.

Het is een hele tijd geleden dat Fleur en papa op de kinderboerderij zijn geweest. De winter was lang en koud en op de mooie dagen wilde papa liever schaatsen. Maar nu is al het ijs uit de sloten en langs de straat bloeien alweer wat bloemetjes.

'Een prachtige dag om eens te kijken hoe onze vriend de kinderkrokodil het maakt,' zegt papa.

Hij haalt de fiets uit het schuurtje en Fleur trekt vlug haar laarzen aan.

Het is wel tien minuten fietsen en Fleur zou het liefst de hele weg zingen, maar ze kent niet genoeg liedjes. Daarom legt ze haar hoofd tegen papa's warme rug en

kijkt naar de bolle wolken. De hele wereld ruikt naar gras.
Op de kinderboerderij is het druk. Er staan trekkers en vrachtauto's.
'Dag Fleur,' zegt de baas. 'Ben je daar weer 'ns? We zijn hard aan het werk hier. Er komt een nieuwe stal voor de paarden en we maken de schapenwei een stukje groter. We hebben zoveel lammetjes!'

Fleur luistert niet. Ze rent langs de hooiberg en de konijnenhokken, ze loopt naar het hek – maar er is geen hek! Er is ook geen sloot meer. Fleur ziet alleen een brede baan nat zand. De kinderkrokodil is nergens te bekennen. De kinderkrokodil is weg!
Papa staat nog met de baas te praten. Fleur rent terug en trekt hem aan zijn mouw.
'Kom mee,' zegt ze. 'Kom kijken. Het is niet goed.'
'Wat is er niet goed, lieverd?' vraagt papa. Hij loopt met Fleur mee.
Ze komen bij het zand.
'Dat is zeker niet goed,' zegt papa. Hij kijkt om zich heen. 'Ik denk dat dit zand straks bij de schapenwei komt.'
'Ze hebben de kinderkrokodil begraven,' zegt Fleur. Ze moet ervan huilen.
'Nee, dat denk ik niet,' zegt papa. 'Ik hoop het niet. Kom, we gaan hem zoeken.'
Samen lopen ze de hele kinderboerderij rond. Ze zoeken in alle sloten, tussen de bosjes en achter de hokken en stallen. Maar de kinderkrokodil blijft weg en Fleur weet bijna zeker dat hij onder het zand ligt. Onder dat nare, natte zand. En straks lopen er lammetjes overheen. Fleur houdt erg veel van lammetjes, maar nu is ze toch boos. Boos van verdriet.
'Luister eens, Fleur,' zegt papa. 'We moeten met de baas gaan praten. Die weet misschien wel waar de kinderkrokodil gebleven is.'
'Maar het is een geheim,' zegt Fleur.
'Toch zit er niets anders op,' zegt papa. 'We zullen zeggen dat het een geheim is. Dan vertelt hij het niet verder.'

De baas is aan het timmeren in de nieuwe paardenstal.
'Mag ik even storen?' zegt papa. 'We zijn een dier kwijt.'
'Wat zeg je me nou?' vraagt de baas. 'Welk dier dan?'
'Het is eigenlijk een geheim,' zegt papa. 'Dus je mag het niet verder vertellen.'

'Ik zeg niks,' zegt de baas.

'In die sloot daar, achter de konijnenhokken, daar woonde een krokodil,' zegt papa. 'Een vriendelijke krokodil.'

'De kinderkrokodil,' zegt Fleur.

'Je bedoelt die boomstam?' vraagt de baas.

'Nee, het léék een boomstam,' zegt papa. 'Maar het was de kinderkrokodil.'

'Ik begrijp het,' zegt de baas.

'Heb je hem begraven?' vraagt Fleur bang.

'Nee, natuurlijk niet,' zegt de baas. 'Hij is bij mij achter. Wil je hem zien?'

De baas legt zijn spullen weg en loopt naar zijn huis. Het huis staat vlak naast de kinderboerderij. Fleur is er nog nooit geweest. Dat mag ook niet. Maar nu vraagt de baas zelf of ze meegaan, dus het is goed.

Achter het huis is een schuur en tegen die schuur staat een grote stapel houtblokken.

'Voor m'n open haardje,' zegt de baas. 'Ik heb heel wat verstookt deze winter.'

Naast de stapel houtblokken liggen een paar grote stammen op de grond. En daarachter, klein en bang, ligt de kinderkrokodil. Fleur ziet alleen zijn oog. Het knipoogt naar haar. Fleur rent ernaartoe. Ze slaat haar armen om hem heen. Dan ziet ze een bijl en een zaag liggen en ze begrijpt opeens alles.

'Jij wilde hem stukmaken en verbranden in je open haard!' schreeuwt ze naar de baas. 'Dat is gemeen! Dat mag niet!'

'Nou, Fleur,' zegt papa. 'Rustig een beetje...'

'Helemaal niet,' zegt de baas. 'Maar hij had het zo koud deze winter. Er lag allemaal ijs in de sloot. Daar kunnen krokodillen niet tegen. Daarom heb ik hem meegenomen naar mijn huis. Dan kon hij lekker bij de open haard liggen. En nu het lente is, mag hij weer naar buiten. Hij is vandaag voor het eerst buiten. Begrijp je?'

Fleur gelooft het niet helemaal. Maar ze is zo blij dat ze de kinderkrokodil terug heeft, dat ze er verder niet over nadenkt.

'We zullen een nieuw plekje voor hem zoeken,' zegt de baas. 'Weet jij misschien iets, Fleur?'

'Nee, ik,' zegt papa. 'Bij de herten is een mooie sloot. Daar is het rustig. Dat is prettig voor een krokodil.'

Papa en de baas tillen de kinderkrokodil op. Samen dragen ze hem de kinderboerderij door, tot aan de sloot bij de herten. Daar laten ze hem voorzichtig in het water glijden.

De kinderkrokodil is zo blij! Hij draait van zijn rug op zijn buik en hij knipoogt met allebei zijn ogen.

Fleur staat een hele tijd stil naar hem te kijken. Papa zit op het bankje in de zon.

'Ik was zo bang dat je onder het zand lag, krokodil,' zegt Fleur. 'Ik was zo boos op de lammetjes die over je heen wilden lopen. Maar nu ben ik niet boos meer.'

'De lammetjes!' roept papa. 'Die waren we bijna vergeten!'

Ze gaan meteen kijken.

Paaseieren zoeken

Jacques Vriens / Dagmar Stam

Wouter en Mieke rennen van de ene struik naar de andere.

Mieke ziet als eerste een ei liggen. Het ligt verstopt onder een paar blaadjes. Het is een pappa-ei. Dan vindt ze een rood ei en een ei met strepen. Bij de zandbak ligt een groot chocolade-ei.

'Kijk eens,' roept ze naar vader en moeder, die bij de keukendeur staan, 'de paashaas heeft ook nog andere eieren verstopt!'

Wouter staat nu midden in de tuin.

'Ik zie niks,' roept hij.

'Kijk eens bij de schuur,' zegt moeder.

Wouter loopt erheen, maar Mieke is hem voor.

'Ja!' roept ze en ze haalt een ei achter de vuilnisbak vandaan. Het is een blauw ei met gele stippen.

'Dat is mijn ei,' zegt Wouter boos. 'Geef hier!'

'Ik heb het gevonden,' zegt Mieke en ze legt het gauw in haar mandje.

'Dat heb ik geverveld,' roept Wouter.

Mieke zoekt alweer verder. Ze vindt nog een ei en nog één.
Wouter kijkt achter de vuilnisbak, maar er ligt niks meer.
Hij begint te huilen.
'Ik wil ook een ei,' snikt hij.
Moeder neemt hem bij de hand. 'Kom,' zegt ze, 'dan zoeken we samen.'

Mieke gaat nu achter in de tuin zoeken en moeder en Wouter vóór in de tuin.
Moeder duwt een plantje opzij. 'Misschien ligt hier wel wat.'
'Jaaa...' juicht Wouter. Onder het plantje ligt een chocolade-ei.
'Misschien moeten we ook omhoog kijken,' zegt moeder.
Wouter kijkt naar boven. In de boom hangen wel drie eieren aan een lintje.
'Dát is een grote palmpaas,' roept hij.
Vader pakt een ladder uit de schuur en haalt de eieren voor Wouter uit de boom.
Mieke heeft ondertussen haar mandje al bijna vol. Ze heeft ook een Wouter-ei gevonden en geeft dat aan hem.
'Ik denk dat er bij de dikke boom achter de schuur ook nog wel een paar eieren liggen,' zegt moeder.
Mieke wil ernaartoe rennen, maar vader zegt: 'Even wachten. Laat Wouter maar eerst kijken.'
Wouter rent al weg.
'Ik wil ook,' zegt Mieke kwaad.

Moeder trekt Mieke naar zich toe en fluistert in haar oor: 'Laat Wouter maar even. Die is nog zo klein. Jij hebt al een mandje vol, omdat jij heel goed kunt zoeken. Wouter kan dat nog niet.'
Mieke knikt: dat snapt ze wel, maar ze vindt het niet echt leuk.
'Kom eens,' roept Wouter vanachter de schuur. 'Ik heb een kuikel gevonden.'
'Dat kan niet,' zegt vader.
Ze lopen naar Wouter toe.
Onder de dikke boom ligt een piepklein vogeltje in het gras. Het zit helemaal in elkaar gedoken en beweegt niet meer. Alleen doet het heel even zijn oogjes open.
'Ooooooh,' zegt Mieke, 'dat is zielig.'

Ineens horen ze boven zich een hoop lawaai. In de boom zitten twee dikke koolmezen. Ze piepen en kwetteren angstig en fladderen heen en weer.
'Dat zijn de vader en moeder,' zegt moeder.
Vader knikt. 'Dat kleine vogeltje is uit het nest gevallen. Daar zullen we eens gauw iets aan doen.'

Vader haalt de ladder en zet die tegen de boom. Dan pakt hij een paar blaadjes van de grond en legt die op zijn hand. Voorzichtig zet hij het kleine vogeltje daarop en klimt naar boven.
De vader- en moedervogel vliegen luid tjilpend naar een andere boom.
'Stil maar,' roept Mieke. 'Jullie krijgen je baby'tje terug.'
Vader gaat voorzichtig met één voet op een dikke tak staan. Hij rekt zich helemaal uit en kan met zijn hand net bij het nest komen. Daar zitten nog twee andere baby-vogeltjes in.
Voorzichtig zet hij het zielige vogeltje in het nest en klimt weer naar beneden.
Pas als de ladder weg is en ze uit de buurt van de boom zijn, komen de vader- en moedervogel weer terug.
'Alles is goed afgelopen,' zegt Mieke. 'Nou weer zoeken.'

Ze vinden nog een paar eieren. Rode eieren, gele, blauwe en eieren met stippen en strepen. En natuurlijk ook Mieke-eieren, Wouter-eieren en mamma-eieren en pappa-eieren.
Als ze helemaal niets meer kunnen vinden, zegt vader: 'Kom, ik heb de tafel al gedekt. Gaan we eieren eten.'
Trots lopen Wouter en Mieke met hun mandje vol eieren naar binnen.
Bij de keukendeur draaien ze zich nog even om en roepen heel hard: 'Dank je wel, paashaas!'

Allemaal wondertjes

Marianne Busser & Ron Schröder / Wilbert van der Steen

Wist je dat er wondertjes gebeuren
kijk maar naar dat rupsje op de grond
dat kleine beestje vliegt over een tijdje
als een mooie vlinder rond

Wist je dat er wondertjes gebeuren
dat kleine zaadje – ergens in het zand –
begint straks als het warmer wordt te groeien
en wordt dan snel een hele grote plant

Wist je dat er wondertjes gebeuren
dat kleine kikkervisje in die plas
zal elke dag een beetje groter worden
en springt straks als een kikker door het gras

Een bult onder het zand

Joke Kranenbarg / Pauline Oud

'Slaapt je vader?' Jonna loopt over het warme zand langs het lange lichaam van Brams vader. Zijn blote buik gaat zachtjes op en neer en bij zijn hoofd, waar een handdoek overheen ligt, klinken zachte snurkgeluiden.

'Ja, hij slaapt,' zegt Bram beslist. 'Jammer. Kunnen we ook niks leuks met hem doen.'

Jonna tilt voorzichtig een puntje van de handdoek op.

'Zullen we hem wakker maken? Vragen of hij met ons een kasteel gaat bouwen?'

Bram schudt zijn hoofd. Hij heeft een beter plannetje.

'We gaan van hém een bouwwerk maken. We bedekken hem helemaal met zand. En dan maken we alles mooi glad, zodat je niks meer van hem ziet.'

'En zijn hoofd?' vraagt Jonna bezorgd.

'Dat laten we onder de handdoek liggen, anders kan hij geen adem halen.'

De benen van Brams vader verdwijnen zonder veel moeite onder het zand. Het duurt niet lang of zijn onderlijf is helemaal foetsie. Over zijn voeten heeft Bram twee emmertjes gezet. Verstoppen onder het zand lukte niet, daarvoor staken ze te recht omhoog.

'Nu de buik nog.' Jonna legt een kleine schelp in het kuiltje van de navel. Dan strooit ze er vlug zand overheen. Het is hard werken, maar na een half uur is Brams vader helemaal verdwenen. Onder de gele parasol waar eerst een snurkend lijf lag, ligt nu alleen een berg zand, met aan de ene kant een handdoek en aan de andere kant twee omgekeerde emmertjes.

Net als Bram een stokje in de buikberg wil steken, komt zijn moeder met zijn zusje Lisa terug van het water.

'Waar is papa?' vraagt ze, terwijl ze Lisa afdroogt.

Jonna en Bram kijken elkaar aan. 'Weg,' zegt Bram dan. 'Even zwemmen, denk ik.' Vanuit zijn ooghoeken loert hij naar de buikberg, maar er beweegt niets.

'Zwemmen?' Brams moeder tuurt naar de zee. 'Wat raar dat ik hem niet gezien

heb. Nou ja, wij blijven nu hier hè, Lies? Ga jij maar lekker spelen met je schepje.' Ze gaat languit op haar handdoek liggen. Haar hoofd ligt nu vlak naast de andere handdoek. Even lijkt het of ze die handdoek naar zich toe wil trekken, maar dan draait ze zich om en pakt een boek.

Lisa graaft een greppeltje vlak naast de buikberg. Een beetje ongerust ziet Bram dat er steeds wat zand van de berg in het greppeltje glijdt. Nog even en de buik van zijn vader wordt weer zichtbaar. Met twee handen graait Bram haastig wat zand bij elkaar en gooit dat op de bult.

'Mag niet,' zegt zijn zusje boos. 'Is van mij. Ikke spelen.' Ze slaat met haar schep boven op de berg. 'Is van Lisa.' Dan tilt ze haar schep hoog op om nog harder op de berg te slaan.

'Niet doen, Lisa,' zegt haar moeder streng. Ze komt overeind en pakt de schep van Lisa af. 'Als je met de schep gaat slaan, moet je maar met je handjes verder graven.'

Dat vindt Lisa helemaal niet erg. Met twee handen graaft ze aan de zijkant van de berg, alsof ze er een holletje in wil maken. 'Is dat?' vraagt ze dan. Ze gaat op haar buik liggen en duwt haar handje zo ver mogelijk in het zand.

'Help, hihi, ho! Hou op!' De grote buikberg begint te schudden en te trillen, alsof er een enorme mol uit de grond komt. 'Niet kietelen!'

Lisa vliegt huilend van schrik bij haar moeder op schoot.

'Hè?' roept Brams moeder verbaasd. 'Wat is... Wat doe jij hier? Jij was toch zwemmen?'

Jonna en Bram rollen slap van de lach boven op Brams vader en vegen de laatste bergjes zand van hem af. 'Wij hadden je verstopt en niemand kon je vinden.'

Als Lisa een beetje over de schrik heen is en de laatste snikjes heeft weggeslikt, staat Brams vader op. 'Het wordt tijd voor een ijsje. Dat hebben we wel verdiend met zijn allen.' Hij zoekt om zich heen, tilt zijn handdoek op en rommelt wat tussen zijn kleren. 'Waar is mijn portemonnee? Net lag hij er nog.' Dan kijkt hij geschrokken naar de zandhopen. 'Nee toch? Zou hij daaronder liggen?'

Met een rood hoofd zitten Jonna en Bram even later op hun knieën te wroeten in het zand. Maar dan schiet Brams vader in de lach.

'Jullie hebben mama voor de gek gehouden en nu houd ik jullie voor de gek. Kijk eens... de portemonnee zit gewoon in de tas. Gaan jullie mee? Wie het laatst bij de ijskraam is, is een zandslak.'

Strandlied van Kleine Ezel

Rindert Kromhout / Annemarie van Haeringen

Het strand, het strand, we zijn weer op het strand
Onze pootjes in het water, onze snuitjes in het zand
En als we heel lief spelen en we zijn nog lang niet moe
Dan komen onze moeders met iets lekkers naar ons toe

Mamma, mag ik een ijsje
En ik heb ook erge dorst
Mamma, mijn voetjes kleven
Want het ijsje heeft gemorst

Mamma, ik heb zo'n honger
Ik heb nog bijna niks gehad
Mamma, ik heb zo'n trek in
Een hele grote zak patat

Mamma, ik ben niet lekker
En mijn neusje is verbrand
Mamma, jeuk aan mijn billen
Want mijn broek zit vol met strand

Mamma, toe, ach nog even
Ik wil voorlopig niet naar huis
Mamma, ik wil nog blijven
Want ik voel me hier zo thuis

Het strand, het strand, we zijn weer op het strand
Onze pootjes in het water, onze snuitjes in het zand
En als we heel lief spelen en we zijn nog lang niet moe
Dan komen onze moeders met iets lekkers naar ons toe

Lied van de zee

Rindert Kromhout / Annemarie van Haeringen

'Zullen we de zee in gaan?' vraagt Kleine Ezel.
'Nee, dat mag niet!' roept Kleine Ibis. 'De zee is gevaarlijk!'

Ga nooit in de zee
Want het water sleurt je mee
De zee, o de zee, ach en wee
M'n kindjelief, word jij maar lekker nat
In een pierenbad
Dat zegt mijn vader

En als je door het water wordt meegesleurd
Zal ik je eens vertellen wat er dan gebeurt
Gevaarlijke haaien
Die moet je niet aaien
Eerst word je gebeten
Daarna opgegeten
Dat zegt mijn vader

Ga nooit in de zee
Want het water sleurt je mee
De zee, o de zee, ach en wee
M'n kindjelief, word jij maar lekker nat
In een kikkerbad
Dat zegt mijn vader

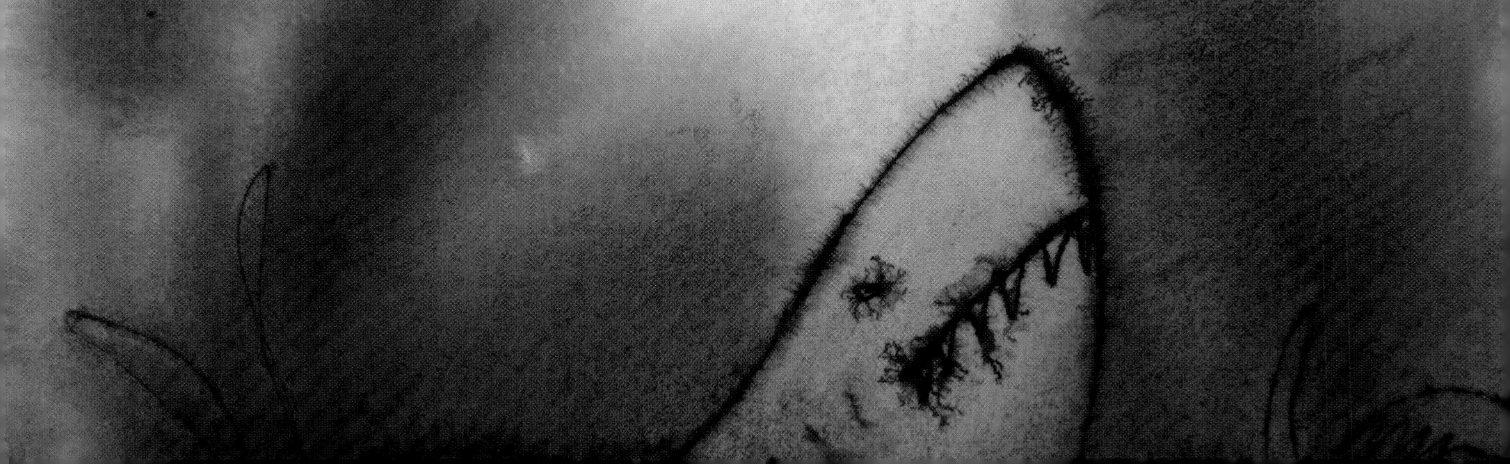

En als je door de golven bedolven bent
Dan kom je in een wereld zo onbekend
Reusachtige dieren
Waaiende wieren
Je komt nooit meer boven
Dat moet je geloven
Dat zegt mijn vader

Ga nooit in de zee
Want het water sleurt je mee
De zee, o de zee, ach en wee
M'n kindjelief, word jij maar lekker nat
In een bubbelbad
Dat zegt mijn vader

Kleine Ezel moet lachen. 'Welnee,' zegt hij. 'Mijn moeder zegt dat we best in de zee mogen, als we maar niet te diep gaan. Pootjebaden mag wel. Tot onze knieën, maar niet verder, dan is het niet gevaarlijk.'

'Echt waar?' vraagt Kleine Ibis.

'Echt waar,' zegt Kleine Ezel.

Op de achterbank

Sabine Wisman / Alex de Wolf

Jet zit naast me in de auto.
En Jan ook.
Zij hebben één kant vrij.
Ik nooit.

Elk jaar moet ik
in het midden.

Jet duwt tegen mijn rechterbeen
en zegt: 'Ga eens opzij!'

Jan duwt tegen mijn linkerbeen
en zegt: 'Niet zo dichtbij!'

Elk jaar
word ik boos.

Eerst mep ik Jet haar been.
Dan prik ik Jan zijn been.

Jet gillen.
Jan gillen.

Mama gillen:
'Zo is het genoeg!'

Papa gillen:
'Dit is de laatste keer!'

Maar dat is nooit zo.
We gaan elk jaar weer.

Vakantie

Edward van de Vendel / Martijn van der Linden

Vannacht doet op vakantie zijn
hier bij mij vanbinnen
pijn.
Overdag vind ik het fijn
(het zand is warm,
de zee is breed,
de meisjes met wie ik
ijsjes heb gegeten,
weten hoe ik heet)
maar nu
wil ik terug.
Nu ben ik ziek – wat is het medicijn?
Ons huis,
mijn kamer,
mijn bed.
En vlug.

Bil en Wil gaan op reis

Rindert Kromhout / Jan Jutte

'Heb je alles, Bil?' vraagt Wil.
'Ik heb alles, Wil,' zegt Bil.
'De koffers, Bil, heb je de koffers?'
'De koffers staan klaar, Wil.'
'Zit alles erin? Het voorleesboek, heb je het voorleesboek?'
'Zit in een koffer, Wil.'
'En het kopje waar ik altijd thee uit drink?'
'Heb ik ingepakt,' zegt Bil.
'En mijn piepeend voor als ik in bad ga?'
'Jouw piepeend en mijn piepkikker, Wil. Ze gaan allebei mee.'

'En jij Wil, heb je ook alles?' vraagt Bil.
Wil tikt op een tas. 'Alles zit erin,' zegt hij.
'De koekjes waar ik zo van hou,' zegt Bil, 'heb je die ingepakt?'
'Wel drie rollen, Bil.'
'En de appeltjes uit onze eigen tuin?'
'Een hele zak vol,' zegt Wil.
'En de limonade die jij zo graag lust, Wil?'
'Wel zeven flessen.'
'Mooi zo,' zegt Bil. 'Alles is in orde, we kunnen gaan.'

Wil pakt zijn tassen op. 'Fijn hè, dat we op reis gaan?' zegt hij. 'We zijn nog nooit op reis geweest. Altijd zijn we thuis. En ik ben dol op reizen. O Bil, we gaan naar een hotel, hè?'

'Klopt,' zegt Bil, 'we gaan naar een hotel in een vreemd land. Vind je het spannend?'

'Heel spannend,' zegt Wil.

Bil tilt de koffers van de grond. 'Ik ben ook dol op reizen,' zegt hij, 'vooral als het met jou samen is. Laten we maar gauw gaan.'

Bij de voordeur draait Wil zich om.
'Dag huis,' zegt hij. 'Dag lekkere stoel waar ik altijd in zit. Dag bed van Bil en mij. Dag bad, dag keuken, dag...'
'Wil, we moeten gaan,' zegt Bil, 'anders missen we de trein.'
Met een zucht trekt Wil de deur dicht. Samen lopen hij en Bil het tuinpad af.
Bil kijkt om zich heen.
'Dag tuin,' mompelt hij. 'We komen gauw terug, hoor. Dag planten, dag bruine bladeren. Dag paddenstoelen, groei maar goed.'
'Bil, de trein,' zegt Wil.
'O ja, we moeten opschieten,' zegt Bil.

Het vreemde land is ver weg.
Met de trein gaan Bil en Wil naar het vliegtuig. De trein raast door weilanden en bossen.
Bleek om zijn neus kijkt Wil naar buiten. 'Bil, wat gaat de trein snel! Maar je hoeft niet bang te zijn, ik ben bij je.'
Bil slaat zijn arm om Wil heen. 'Fijn dat je bij me bent, Wil.'

Met het vliegtuig gaan ze naar het vreemde land. Het vliegtuig stijgt op en vliegt de wolken in.
Bil kijkt door het raampje. 'Wil, wat zijn we hoog! Vind je het eng? Niet nodig hoor, ik zit naast je.'
'We doen onze ogen dicht, Bil,' zegt Wil. 'Dan is het net of we niet hoog zijn.'

Met de bus gaan ze naar een vreemde stad in het vreemde land. In de vreemde stad is hun hotel.

'Bil, de bus hobbelt,' zegt Wil. 'Ben jij misselijk?'

Bil kijkt Wil aan. Wil ziet wit.

'Een beetje,' zegt Bil. 'Kruip maar tegen me aan Wil, dan voel ik me beter.'

Wil kruipt tegen Bil aan.

Het laatste stukje moeten ze lopen.

Bil draagt de koffers, Wil houdt de tassen vast.

'Nog een klein stukje, Wil,' zegt Bil, 'dan zijn we bij het hotel.'

Ze lopen door een drukke straat. Er zijn winkels, er zijn kraampjes. Er lopen ezeltjes en mensen, heel veel mensen.

'Bil, wat is het hier druk,' zegt Wil. 'Zoveel mensen, veel meer dan in ons dorp.'

'Ga maar achter me lopen, Wil,' zegt Bil. 'Dan botst er niemand tegen je op.'

Eindelijk zijn ze bij het hotel.

Ze gaan een donkere hal door en klimmen een trap op. Hoog in het hotel is hun kamer.

Bil doet de deur open.

Met grote ogen kijkt Wil om zich heen. Meteen laat hij zijn tassen vallen.
'Bil, wat een mooie kamer!'
In een hoek staan luie stoelen. Wil holt erop af.
'Bil, wat een lekkere stoelen. Daar wil ik in zitten.' Hij sleept een stoel naar het raam en ploft erin neer.
'Oh, ja,' kreunt hij tevreden.

Bil heeft zijn koffers neergezet en is op het bed gaan liggen.
'Wat groot, wat zacht. Het kussen ruikt naar de rozen uit onze tuin. Wil, ik vind dit een fijne kamer.'
'Ik ook,' zegt Wil. Hij staat op en kijkt achter een deur. 'Bil! Er is een bad, net als bij ons thuis! Pak de piepeend en de piepkikker.'
Wil laat het bad vollopen, Bil zet de eend en de kikker in het water. Daarna gaat hij weer op het bed liggen.
'Pak het boek uit de koffer, Wil,' zegt hij. 'Dan lees ik je voor als je in bad zit.'
'Krijg ik ook limonade?' vraagt Wil.

Het is laat in de middag.
Bil en Wil zitten voor het raam. Ze kijken naar het vreemde land.
Bil vraagt: 'Zullen we naar buiten gaan, Wil? Wil je het vreemde land in?'
'Ik zit zo lekker in mijn stoel,' zegt Wil.
'Ik ook,' zegt Bil, 'ik zit ook lekker. Goed, we blijven hier. Wat een mooi vreemd land, hè?'
'Prachtig,' zegt Wil. 'Kijk die huizen eens en de daken. En al die mensen in de straat. Leuk hè Bil, zo'n vreemd land? Wat een feest om op reis te zijn.'
'Geweldig!' knikt Bil. 'Kijk Wil, ik zie de zon.'
Wil doet een raam open. 'Ik ruik de zee,' zegt hij. 'Ik hou van zon en zee.'
'Ik ook,' zegt Bil. 'Daarom wou ik hier zo graag naartoe.
Thuis is het herfst, hier niet.'
Tevreden kijken Bil en Wil naar de zee. Langzaam gaat de zon onder. Het wordt donker, de dag is voorbij.
'We gaan slapen,' zegt Bil.
'Goed idee.' Wil knikt. '
We eten een appel en dan gaan we slapen.'

Een vreemde haan kraait, een vreemde toeter toetert.

Bil en Wil worden wakker. Ze eten een koekje en drinken een kopje thee. Ze gaan in bad met de piepeend en de piepkikker. Daarna gaan ze weer voor het raam zitten.

In de verte is een berg. Op de berg lopen vreemde dieren.

'Wil je naar die berg, Wil?' vraagt Bil.

Wil schudt zijn hoofd. 'Hoeft niet, Bil. Ik kan die berg zo ook goed zien.'

'Ik ook,' zegt Bil. 'Mag ik nog een koekje?'

Zo gaat de tijd voorbij. Een dag, een week en nog een week.

Bil en Wil eten koekjes. Ze drinken limonade en kijken uit het raam. Wat is er veel te zien in het vreemde land! Zoveel mensen, zoveel dieren. De zee ruikt lekker en de berg is zo hoog!

Soms klopt er iemand op de deur. 'Bil, Wil!' roept een stem dan. 'Hebben jullie iets nodig?'

Maar Bil en Wil hebben niks nodig. Er zit genoeg in de koffers en de tassen.

Op een dag rommelt Wil in een tas.

'Wat zoek je, Wil?' vraagt Bil.

'Mijn kussentje voor in de luie stoel,' zegt Wil.

Bil snuffelt in een koffer.

'Wat zoek je, Bil?' vraagt Wil.

'Een foto van ons huis voor aan de muur,' zegt Bil.

Bil leest Wil voor. Wil schilt appels.

Bil staart naar de foto aan de muur. Wil schudt zijn kussentje op.

En dan, op een ochtend, zegt Bil: 'Wil, het is tijd, de vakantie is voorbij. We moeten terug naar huis. Pak de tassen maar weer in.'

Wil kijkt verbaasd. 'Nu al? Wat gaat de tijd snel als je het fijn hebt. Goed Bil, we gaan naar huis. Vergeet mijn piepeend niet.'

'Jouw piepeend en mijn piepkikker,' zegt Bil.

Daar gaan ze weer.

Ze lopen door de vreemde stad. Bil draagt de koffers. Die zijn niet zo zwaar als eerst.

Wil houdt de tassen vast.

Bil loopt voorop. Zo kan er niemand tegen Wil aan botsen.

Met de bus gaan ze naar het vliegtuig. Wil kruipt tegen Bil aan.

Met het vliegtuig gaan ze het vreemde land uit. Bil knijpt zijn ogen dicht.

Met de trein gaan ze terug naar hun dorp. Bil slaat zijn arm om Wil heen.

En eindelijk, eindelijk zijn ze thuis.

Bil zet zijn koffers neer. 'Dag tuin!' roept hij uit. 'Wat heb ik je gemist!'

Wil brengt zijn tassen naar de keuken. 'Dag huis! Wat fijn om je weer te zien.'

‘Vond je het een leuke reis, Wil?’ vraagt Bil.

‘Een heerlijke reis, Bil,’ zegt Wil. We hebben zoveel gezien! Maar gelukkig zijn we nu weer thuis.’

‘Ja,’ zegt Bil, ‘gelukkig zijn we nu weer thuis.’

Onweer

Francine Oomen

'Kip, Kip wat is er?' roept Mol ongerust. Kip ligt op haar zij in het droge zand. Haar vleugels zijn uitgestrekt en haar snavel staat open. Haar ogen zijn dicht.

Mol trekt aan haar poot. Kip beweegt niet.

'Kip! Ben je dood?' Mol moet bijna huilen.

Kip doet één oog open. 'Gefopt! Ik ben helemaal niet dood. Zo doen kippen als ze het warm hebben.'

'Pfff,' zegt Mol een beetje boos. 'Je hebt me laten schrikken.'

'Heb jij het dan niet heet?'

Mol haalt zijn schouders op. 'Ik niet. Onder de grond is het altijd koel.'

'Ooo,' zucht Kip. 'Kon ik maar onder de grond. Of ging het maar regenen.'

Mol kijkt naar de lucht. Er drijven een paar schapenwolkjes.

'Dat zou ik ook wel willen. Ik heb al dagen geen worm gevangen. Ik heb honger.' Mol wrijft over zijn buik.

'Wil je een beetje graan?' vraagt Kip. 'Eet maar uit mijn bak, hoor, er is genoeg.'

Mol probeert het graan, maar hij vindt het niet lekker.

Kip gaat weer languit liggen, in de schaduw.

'Dag Kip,' zegt Mol. 'Ik ga weer onder de grond.'

'Pokpok,' doet Kip zwakjes.

Als de middag bijna voorbij is, zitten Mol en Kip samen voor het nachthok. Ze kijken naar de hemel die plotseling heel donker wordt.

'Wat wordt het snel avond, hè?' zegt Kip.

'Dat is de avond niet,' zegt Mol. 'Dat zijn wolken voor de zon.'

'O,' zegt Kip. 'Wat rammelt jouw buik hard, Mol, heb je zo'n honger?'

'Dat is mijn buik niet,' zegt Mol. 'Dat is onweer.'

'Pok!' zegt Kip. 'Onweer? Wat is dat?'

'Heb je dat nog nooit meegemaakt?' vraagt Mol verbaasd.

'Nee,' zegt Kip. 'Ik ben er nog niet zo lang.'

'Onweer is héél veel lawaai. Alsof er iemand op een trommel slaat, maar dan heel hard.'

Kip zet grote ogen op.

'En dan komt er vuur in de lucht,' zegt Mol. 'Flits, flits! Soms vliegt er een boom in brand.'

'Of een nachthok?' vraagt Kip angstig.

'Misschien,' zegt Mol.

Kips veren trillen.

Kaboem! klinkt het opeens oorverdovend hard.

Kip vliegt in de lucht van schrik.

Kaboem!

Mol springt overeind en hij doet een gek dansje.

'Mol, Mol!' kakelt Kip angstig. 'Wat doe je nou?'

'Dit is een regendans,' roept Mol. 'Daarmee lok ik de regen naar ons toe.'

Kip begint bang rond te rennen. 'Wat moet ik nou doen, Mol! Ik durf niet in mijn hok, ik durf niet in de boom! Ik ben bang. Dadelijk komt het vuur.'

Kip heeft dat nog maar nauwelijks gezegd of een lichtstraal flitst door de inktzwarte hemel.

'Pok!' kakelt Kip. 'Het is donker, ik kan niet goed meer zien!'

Flits!

Mol krijgt medelijden met Kip. Hij rent naar haar toe en trekt haar aan een vleugel naar een gat toe.

'Steek je kop er maar in, Kip, dan gaat het onweer weg.'

'Echt waar?' kakelt Kip angstig.

Mol knikt. 'Echt waar.'

Kip steekt gauw haar kop in het gat. Mol springt in een ander gat en rent door de gang naar Kips kop toe. Kip kan Mol niet zien, maar hij houdt haar trillende kop stevig vast.

Kaboem! klinkt het weer, maar nu heel zachtjes.

'Zie je wel,' zegt Mol, 'je hoort het bijna niet meer.'

'Maar... de bliksem. Ik wil geen gebraden kippetje worden,' piept Kip.

'De bliksem houdt niet van kleine dingen,' zegt Mol. 'Alleen maar van grote, hoge dingen.'

'O,' zegt Kip. Ze zijn allebei een poosje stil.

'Mol, je dans heeft gewerkt. Mijn staart wordt nat. Heel erg nat.'

'Jippie!' roept Mol. 'Eindelijk regen. Nu ga ik het onweer wegjagen.'

Mol rent weg door de gang.

Er klinkt nog zwakjes gerommel in de verte, maar het bliksemt niet meer. Het regent met dikke druppels.

Mol klimt uit het gat en trekt Kip aan haar staart.

'Kom maar, Kip, het onweer is weg.'

Kips kop floept tevoorschijn. Angstig kijkt ze naar de lucht. Het is niet meer zo donker.

Ze schudt haar natte veren en kijkt Mol vol bewondering aan. Dan ziet ze iets bewegen in een plas. Het is een dikke, roze regenworm. Ze rent ernaartoe, pikt hem op en legt hem voor Mol neer.

'Alsjeblieft, dank je wel dat je het onweer weggejaagd hebt, Mol. Ik vind je zo knap!'

Mols neus wordt een beetje rood. Dan ziet hij ook iets friemelen. Hij rent eropaf. 'Hier, Kip, voor jou, het spijt me dat ik je zo bang gemaakt heb.'

'Geeft niks, hoor,' zegt Kip. 'Ik heb jou toch?'

Mol geeft Kip een dikke knuffel.

Herfstbladeren zoeken

Rian Visser / Yvonne Jagtenberg

Katinka en Boris gaan met papa naar het bos. Ze nemen allebei een tas mee.
Op de grond liggen rode, gele en bruine herfstbladeren.
Papa raapt een blad op. 'Kijk eens wat mooi!'
Boris mag het in zijn tas stoppen.
Dan ziet Boris een kastanje.
'Neem die ook maar mee,' zegt papa. 'Daar kunnen we straks mee knutselen.'
Boris verzamelt ook eikels. En een heleboel bladeren.
Katinka kijkt alleen maar. Haar tas is nog leeg.
'Ik weet niet wat ik moet kiezen,' zegt ze.
'Dat maakt niet uit,' zegt papa. Hij raapt een rood beukenblad op. 'Kijk eens wat een mooie kleuren! Doe deze maar in je tas.'

'Nee,' zegt Katinka.
'Vind je het niet mooi?' vraagt papa.
'Jawel, maar niet mooier dan die andere beukenbladeren. Dan kan ik ze allemaal wel in mijn tas stoppen!'
Papa pakt een eikenblad. 'En deze dan?'
'Nee,' zegt Katinka. 'Die wil ik ook niet.'
Papa denkt na. En dan heeft hij een plan. 'We zoeken van elke boom één blad. Een eikenblad, een beukenblad, een kastanjeblad. Van alles één.'
'Dat is goed,' lacht Katinka. Ze begint meteen.
'Ik heb al tien verschillende,' roept Katinka even later.
Boris ziet een paddestoel. Hij wil hem plukken en in zijn tas doen. Maar het mag niet.
'Sommige paddestoelen zijn giftig,' zegt papa. 'Je mag er wel naar kijken, maar je mag ze niet plukken.'
Ze zien nog meer paddestoelen: eekhoorntjesbrood, stuifzwam en een elfenbankje. Dan zijn Katinka en Boris klaar met verzamelen.
Thuis plakken ze de bladeren op een groot vel papier. Daarna gaan ze met de kastanjes en eikeltjes spelen.
'Mogen we er dieren van maken?' vraagt Katinka.

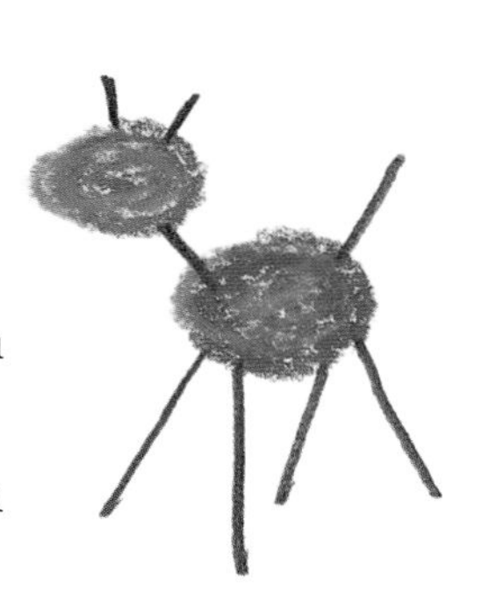

‘Ja,’ zegt papa. ‘Dat is een leuk idee.’
Hij geeft Katinka een paar houten prikkertjes.
Katinka prikt vier stokjes in de kastanje. Dat zijn de poten. En nog eentje voor de nek. Een eikeltje is het hoofd.
Ze zetten de dieren in de vensterbank. Katinka’s schilderij van herfstbladeren hangt aan de muur .
‘Welk blad vind je het mooist?’ vraagt papa.
‘Allemaal,’ zegt Katinka. ‘En ook de bladeren die nog in het bos zijn!’

Het jongedierenfeest

Rian Visser / Yvonne Jagtenberg

Papa dekt de tafel. 'Ik heb een verrassing,' zegt hij. 'Na het eten gaan we naar de kinderboerderij. Het is feest, want er zijn kuikentjes, geitjes, biggetjes en lammetjes geboren.'

Katinka en Boris gaan vlug aan tafel zitten.

'Krijgen we koekjes, omdat het jongedierenfeest is?' vraagt Katinka.

'Nee,' zegt papa. 'We eten brood. Het is feest voor de dieren, niet voor ons.'

Papa smeert voor Katinka en Boris een boterham met pindakaas.

Katinka en Boris eten snel.

'Willen jullie nog een boterham?' vraagt papa.

Nee, ze hebben geen honger meer.

'Mogen we de rest van het brood meenemen voor de dieren?' vraagt Katinka.

'Willen jullie echt niets meer eten?' vraagt papa.

'Nee, echt niet.'

'Goed dan,' zegt papa. Hij stopt het brood in een zak en dan gaan ze.

In de stal van de kinderboerderij zijn schapen en lammetjes. Katinka en Boris geven de schapen een paar stukjes boterham. De lammetjes drinken melk bij hun moeder.

Ze lopen verder naar de dwergvarkentjes. Dat zijn kleine varkens. Ze hebben piepkleine biggetjes.

Katinka en Boris gooien een paar boterhammen in het hok. Daarna gaan ze

door een klaphek naar het geitenveldje waar kleine geitjes zijn. Dwerggeitjes, noemt Katinka ze.

'Het zijn gewone geitjes,' zegt papa. 'Ze zijn zo klein, omdat ze net geboren zijn.'

Er zijn ook grote geiten. Katinka vindt de kleine het liefst, maar als ze ze wil aaien, komen de grote geiten er steeds tussen. Een geit knabbelt aan haar jas.

'Help!' roept Katinka. 'Hij eet me op!'

Boris aait een klein geitje. Het sabbelt op zijn vinger.

'Hij denkt dat je vinger een speen is,' zegt papa.

Boris giechelt. Het is een grappig gevoel. Maar ineens geeft hij een gil. 'Au!' Het geitje bijt. Snel trekt Boris zijn vinger terug. Gelukkig is er geen bloed.

'Kom maar mee,' zegt papa. Hij duwt het klaphek open.

Ze hebben nog een paar stukjes brood over. Katinka en Boris geven het aan de eendjes. En dan is alles op.

Ze gaan naar huis.

'Ik heb honger!' zegt Katinka.

'Ik ook,' knikt Boris.

'Dan zal ik een boterham voor jullie smeren,' zegt papa.

Katinka lacht. 'Dat kan niet! We hebben alles aan de dieren gegeven. Voor ons zijn er alleen nog maar koekjes.'

Papa pakt de koektrommel.

'Vooruit dan maar; omdat het jongedierenfeest is.'

Sint-Maarten

Simone van der Vlugt / Alex de Wolf

'We gaan vandaag een lampion maken,' zegt juf Hannie op de peuterspeelzaal. 'Gaan jullie dit papier maar mooi verven, dan vouwen we het als het droog is.'

Sophie doet heel erg haar best. Ze pakt rood en blauw en geel en smeert alles met een kwast door elkaar. Het wordt heel mooi.

Juf Hannie gaat bij haar zitten.

'Mooi, Sophie! En als je lampion klaar is, doen we er een lichtje in en dan ga je met Sint-Maarten langs de deuren.'

Sophie legt haar kwast neer.

'Ben je klaar?' vraagt juf Hannie.

Sophie schudt haar hoofd. 'Ik ga niet.'

'Waarom niet? Dat is toch leuk, zingen bij de deuren en dan snoepjes krijgen?' zegt juf Hannie verbaasd.

Sophie schudt weer haar hoofd. Als papa haar komt halen, holt Sophie meteen naar hem toe.

'Papa, ik ga niet met Sint-Maarten langs de deuren hoor,' zegt ze. 'Jij moet met mij mee!'

'Natuurlijk ga ik met jou mee,' zegt papa. 'Het feest héét Sint-Maarten.'

Als het donker wordt, gaan ze de straat op. Overal lopen kinderen met lampionnen. Ze zingen bij ieder huis en krijgen een snoepje. Sophie pakt papa stevig bij zijn hand. Snoep krijgen vindt ze wel leuk, maar zingen moet papa doen. Bij ieder huis houdt ze stijf haar mond dicht terwijl papa heel hard zingt. En dan lachen de mensen en gooien een snoepje in Sophies tas.

'Volgende huis!' schreeuwt Sophie en ze rent de tuin uit.

'Ik heb geen zin meer,' klaagt papa.

'Maar we moeten de hele stad nog doen!' roept Sophie uit.

'De hele stad? Nou, tot het einde van de straat vind ik wel mooi genoeg,' zegt papa. 'En dan ga ik die hele zak snoep opeten. Bij de koffie.'

'Niet!' roept Sophie. 'Die is van mij!'

'Niet, van mij,' zegt papa. 'Jij hebt helemaal niet gezongen.'

'Ik ga óók zingen,' belooft Sophie. Ze houdt de zak snoep stevig vast. Zingend loopt ze de volgende tuin in. Maar als de deur opengaat houdt ze snel haar mond. Papa zingt door. Hij moet wel, anders krijgen ze geen snoep. Maar als papa klaar is, geeft de mevrouw niets. Ze gaat op haar hurken zitten en zegt tegen Sophie: 'Ik heb jou helemaal niet gehoord!'

Sophie kijkt naar de grond.

'Zing eens iets,' zegt de mevrouw.

Sophie draait zich om en rent hard de tuin uit. Ze blijft pas in haar eigen tuin weer staan. Mama staat in de deuropening snoep uit te delen aan de kinderen.

'Ben je al klaar?' vraagt ze verbaasd.

'Ja,' zegt Sophie, 'ik heb honger.' En ze stopt een spekje in haar mond.

Het heerlijk avondje

Jaap ter Haar / Harmen van Straaten

'Wat duurt het toch lang,' zei Nenny ongeduldig.

Otje knikte. Het duurde afschuwelijk lang. Iedere minuut leek wel een uur.

Gelukkig was oma gekomen. Die had voor het eten nog voorgelezen, maar al was het uit Otjes lievelingsboek, toch hadden Otje en Nenny niet goed kunnen luisteren. Nenny dacht steeds maar aan de pakjes, die ze eindelijk, eindelijk zou krijgen. Wat zou Sinterklaas voor haar hebben meegebracht? Een pop die echt kon plassen? Of klei in verschillende kleurtjes? Of een schoolbord met krijtjes?

Otje dacht alleen maar aan het hondje. Was er een kansje dat er vandaag zo'n klein bruin knoepertje zou komen?

'Wanneer begint het nou?' riep Nenny voor de tiende keer. Ze hielp oma in de keuken met de afwas. Duurde dat nou veel langer dan anders? Of leek dat maar zo? Papa was naar boven gegaan om zich te scheren. Waarom had hij dat niet eerder gedaan?

Ze hadden erwtensoep en plakjes roggebrood met heel dun mosterd gegeten. Meestal vond Otje dat heel lekker, maar dit keer had hij geen hap door zijn keel gekregen.

'Ben je zenuwachtig voor vanavond?' had oma gevraagd.

'Het is ook zo spannend.' Mama had Otjes eten maar aan papa gegeven, omdat Otje er geen trek in had.

Gelukkig! Oma en Nenny kwamen de kamer in.

'Gaat het nou beginnen?' vroeg Nenny.

Maar nog voor mama antwoord kon geven, gebeurden er een heleboel dingen tegelijk.

Boven klonk gestamp, alsof iemand heel snel heen en weer liep.

'Daar heb je ze!' zei oma zacht.

Geschrokken rende Nenny naar mama.

'Gekkie, je hoeft toch niet bang te zijn. Kom, we gaan zingen, jongens. Laten we bij de schoorsteen gaan staan, dan kunnen ze ons goed horen!'

Er klonk opnieuw gebons en gekletter. Reed Sinterklaas met zijn schimmel over het dak?

Nenny pakte voor alle zekerheid Otjes hand. Toen begonnen ze samen te zingen, terwijl boven en buiten spannende geluiden klonken. Het was eng, opwindend en toch fijn...

Nenny kneep in Otjes hand, omdat het allemaal zo geheimzinnig was. Door het raam kon Otje zien, hoe wolken in de donkere nacht langs de hemel gleden. En opeens kwam de maan achter een wolk vandaan. Terwijl mama, Otje en Nenny zongen, neuriede oma zachtjes mee.

Zie, de maan schijnt door de bomen, makkers, staakt uw wild geraas!
't Heerlijk avondje is gekomen, 't avondje van Sint Niklaas.
Vol verwachting klopt ons hart: wie de koek krijgt, wie de gard.
Vol verwachting klopt ons hart: wie de koek krijgt wie de gard.

Onder het zingen werd er tegen de ramen gebonsd. In een flits zag Otje een donkere schim voorbijschieten. Was dat Zwarte Piet? Meteen daarop ging de bel hard en lang. En een zware stem in de gang riep: 'Zeker, Sinterklaas, ik kom zo!'

Toen werd er op de kamerdeur geklopt, zacht geklopt, hard geklopt. De deur ging open en een zwarte hand strooide snoep de kamer in. Jeempie, wat gebeurde er veel tegelijk. Nenny en Otje wisten even niet wat ze moesten doen. Maar toen stoven ze op de pepernoten en de snoepjes af.

'Komen jullie eens kijken!' Dat was de stem van papa, die ook al zo opgewonden klonk. Otje en Nenny renden de gang in.

'Ooo,' zei Otje.

'Ooo,' zei Nenny.

De voordeur stond wagenwijd open. Op de stoep stond een mand vol pakjes. Otje keek de tuin in, maar Sinterklaas en Zwarte Piet waren nergens te ontdekken. De wind waaide door de bomen en zelfs in huis waaide de wind.

Nenny was naar de mand gehold. Ze graaide in de pakjes.

'Bedank Sinterklaas eerst maar eens!' zei papa, terwijl hij haar overeind trok. Toen riepen Otje en Nenny de straat in, naar de donkere nacht en de zwiepende bomen: 'Bedankt! Bedankt, Sinterklaas!'

Papa bracht de mand met pakjes naar de kamer en mama deed de voordeur dicht. Oma's gezicht straalde – misschien wel omdat het nu zo knus was in huis.

Ze zaten in een kring bij de open haard. Nenny wipte ongeduldig op haar stoeltje. Otje keek naar de ronde mand met pakjes. Even kneep hij zijn lippen op elkaar, want één ding was héél duidelijk: Sinterklaas had geen hondje gebracht. Anders zou er in de mand toch wel wat bewegen?

Papa begon pakjes uit te delen. 'Voor oma!' Ze kreeg een boek.

'Voor mama!' Er was een lang gedicht bij, dat mama stikkend van de lach voorlas. Maar Otje hoorde het niet. Geen hondje! Er was een dof gevoel in zijn buik – alsof zijn verdriet zich daar als een balletje had opgerold.

Mama kreeg een nieuwe tas, die ze trots omhoog hield.

'Voor Nenny!' Papa las het gedicht voor: Nenny was zo'n lieve poppenmoeder, schreef Sinterklaas, dat hij haar graag dit pakje gaf. Het was een pop die echt kon plassen, wat ze zo graag had willen hebben. Ze kreeg er een luier bij. De pop kreeg eerst de luier om en daarna nam Nenny haar op schoot.

'Voor oma!'

'Voor papa!' Ook papa moest een gedicht voorlezen. In zijn pakje zat een nieuwe trui.

Otje bleef met het doffe gevoel in zijn buik zitten. Geen hondje. Geen klein, wollig knoedeldiertje, dat tegen je aan kwam liggen en dat op je af sprong als je hem floot.

'Voor oma!'

'Voor Nenny!' Het was een draagzak voor de pop. Nu kon ze de baby, net als echte vaders en moeders, in een zak op haar buik dragen.

'Voor mama!' Steeds weer las papa de namen voor, die op de pakjes stonden.

'Voor Otje!' Het was een mooie letter van chocola. Otje probeerde blij en vrolijk te kijken. Hij moest tevreden zijn, ook al kreeg hij geen hond. Dat begreep hij wel.

'Voor mama!'

'Voor Nenny!'

Nou nou! Sinterklaas had Nenny wel verwend. Otje zag, dat ze veel meer kreeg dan hij. Kwam dat dan toch omdat hij niet lief genoeg was geweest?

De mand raakte leger en leger. Tenslotte lag er nog maar één klein pakje in. En nog een los papiertje.

'Voor Otje!' riep papa. 'En er is een gedicht bij.' Otje nam het pakje aan. Hij wilde het openmaken.

'Eerst het gedicht voorlezen,' zei mama. Otje trok het papier onder het elastiekje vandaan. Langzaam las hij de regels voor.

Jij wou zo graag een kleine hond,
van Sint en Zwarte Piet.
We zochten lang en keken rond,
want dieren hebben we niet.

Tenslotte vond ik, lieve Otje,
dit hondje van marsepein.
Bekijk hem goed. Is het geen dotje?
Of... moest het een echte zijn?

Otje knikte. Hij slikte en knipperde met zijn ogen. Hij wilde niet huilen als een verwend jochie.

'Otje heeft haast niets gekregen,' zei Nenny plotseling. Ze was zó vervuld geweest van haar eigen cadeautjes, dat ze dat nú pas ontdekte.

'Och, nee toch,' zei oma.

'Er ligt nog een briefje in de mand.' Papa pakte het op. 'Voor jou, Otje. Zal ik het voorlezen?'

Otje knikte alleen maar, want er zat een dikke prop in zijn keel.

'Lieve Otje,' las papa. 'Er zijn nog twee cadeaus voor jou. Eén staat in de kamer, pal voor je neus. En je hebt het nog niet eens gezien. Het andere cadeautje is in de keuken.'

Otje keek om zich heen. De prop in zijn keel zakte weg. Een cadeau vlak voor zijn neus? Er was niets bijzonders te zien en de mand was leeg.

'Ga maar eens in de keuken kijken,' zei mama.

Langzaam liep Otje naar de gang. Daar bleef hij opeens staan. Het was doodstil in de kamer en het leek wel, of iedereen nu zijn adem inhield. Achter de deur van de keuken klonk zacht gekras tegen het hout, alsof er een muis aan het knagen was. En wat was dat? Jankte daar iemand, of was het de wind?

Otje voelde hoe zijn hart vol verwachting sneller begon te kloppen. Hij kreeg een kleur en het doffe gevoel verdween als sneeuw voor de zon. Met een ruk trok hij de deur open.

'Waf-waf!' Daar sprong een hondje over de drempel, de gang door en de kamer in. Het was een pup met bruin, wollig haar. En het was het liefste knoedeltje dat je je kon voorstellen.

'Papa, mama!' juichte Otje. De pup sprong in zijn armen en voelde zich daar thuis, dat kon je aan alles merken.

'Wat een schatje!' zei Nenny zacht. Ze aaide het hondje en keek vertederd in de lieve, bruine ogen.

'En nu je tweede cadeau,' zei papa. 'Het cadeau dat pal voor je neus staat!'

Pas toen ontdekte Otje dat hij al veel eerder had kunnen weten, dat hij een hondje zou krijgen. Want de mand, waarin de pakjes hadden gezeten, was een hondenmand.

'Hoe heet-ie?' vroeg Nenny.

'Bella,' zei papa.

Otje en Nenny waren bij de mand neergeknield en Bella sprong vrolijk heen en weer...

Sneeuw

Hans Hagen / Philip Hopman

Oo-wooh...
Aarghh
Hè-è-èèlp!! Waar zit de rem?
Wat knap!
Goed zo, oma!
Ploff!
Sjonges, zagen jullie dat?
Nog een keer?
Ik dacht het niet.
Ik heb iets veiligers bedacht.
Handig hè, zo'n plank...
Pff...

Vogels voeren

Nannie Kuiper / Philip Hopman

Mussen, mezen en een meeuw
komen nu al dagen,
met gefladder en geschreeuw
en hongerige magen
telkens weer om eten vragen –
de wereld is bedekt met sneeuw.

Kijk eens wie daar buiten staat,
wie de vogels voeren gaat!

Pinda's aan een lange draad.
Bolletjes gevuld met zaad.
Voor de meeuw wat stukjes vis,
omdat de gracht bevroren is.
Een handvol brood
en nog veel meer...

En natuurlijk morgen weer:
vogels voeren in de sneeuw –
mussen, mezen en een meeuw!

Lekker sleeën

Nannie Kuiper / Philip Hopman

Lekker sleeën
met zijn tweeën.
Met mijn hond
er altijd bij.
Omdat hij de slee
kan trekken.
Hard
en iedereen voorbij.

Daag – zzzoef –
dat waren wij!

Winterdracht

Doortje Hannig

Zelfs in de winter
dragen vogels
geen kleren.

Vogels dragen
vet en **veren**.

De kanarie ook?

Ja, gele.
Vele
vele
vele.

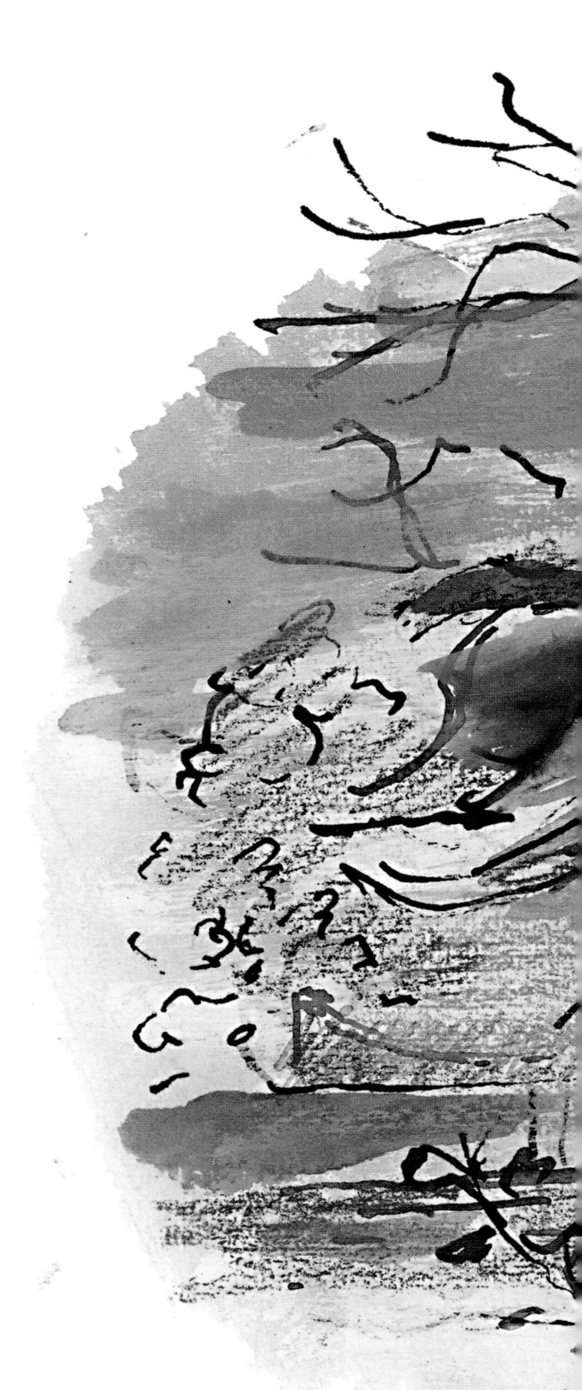

Een witte kerst

Koos Meinderts / Annette Fienieg

Een dag voor Kerstmis brengt de postbode een kaart.

'Voor Kuik en Vark,' zegt hij.

'Dat zijn wij,' zegt Vark. 'Dank u wel.' Hij vraagt of de postbode even binnenkomt voor een kopje warme chocolademelk, maar de postbode heeft geen tijd. Hij moet snel weer verder met zijn ronde.

Vark laat de kaart aan Kuik zien. 'Kijk eens wat een mooie kerstkaart, Kuik.'

'Een sneeuwlandschap!' zegt Kuik. 'Wat mooi!'

Hij draait de kaart om en leest: 'Vrolijk kerstfeest!'

'Ik heb zin in Kerstmis,' zegt Vark.

'Ik ook,' zegt Kuik. 'Jammer dat het regent.'

Vark gaat voor het raam staan en staart in een somber en grijs regenlandschap. Kuik komt naast hem staan. 'Vreselijk,' zegt hij. 'En ik had net zo'n zin in een witte kerst dit jaar.'

'Dan gaan we toch op reis,' zegt Vark.

'Waar naartoe?'

'Naar het sneeuwlandschap op de kaart natuurlijk!'

'Weet jij waar dat is?'

'Nee,' zegt Vark. 'Maar misschien weet Groene Poes het.'

Kuik en Vark gaan meteen naar haar toe. Ze laten haar de kaart zien.

'Wat een prachtig sneeuwlandschap,' zegt Groene Poes. 'Waar is dat?'

'We hadden gehoopt dat jij dat wist,' zegt Vark. 'Kuik en ik willen dit jaar een witte kerst.'

Groene Poes kijkt nog eens goed naar de kaart.

'Ik denk dat het sneeuwlandschap aan de andere kant van de heuvel is.'

'Waar Haas woont?' vraagt Kuik.

Groene Poes knikt.

'Dan gaan we naar Haas,' zegt Vark.

'Mag ik mee?' vraagt Groene Poes.

'Tuurlijk mag je mee!' zegt Kuik en met z'n drieën gaan ze door de regen op weg naar Haas.

Groene Poes laat Haas de kaart zien.
'Ken jij dit landschap?' vraagt ze.
'Dit prachtige sneeuwlandschap?' zegt Haas.
'Is het hier, aan de andere kant van de heuvel?' vraagt Kuik.
'Was het maar waar!' zegt Haas.
'Waar is het dan?' vraagt Vark. 'Groene Poes, Kuik en ik willen een witte kerst dit jaar.'
'Dat wil ik ook wel,' zegt Haas. 'Ik ga met jullie mee, naar Kraai. Misschien weet hij het. Kraai woont in het bos en er staan bomen op de kaart, dus het zou kunnen. Kom mee!'
Kuik en Vark en Groene Poes en Haas gaan op weg. Na een poosje komen ze in het bos.
'Het is hier erg mooi,' zegt Kuik. 'Maar een sneeuwlandschap is het niet.'
'Laten we toch maar even bij Kraai langsgaan,' stelt Vark voor.
Haas laat Kraai de kaart zien.
'Wat een schitterend sneeuwlandschap,' zegt Kraai. 'Zoiets moois heb ik nog nooit gezien.'

‘Ook niet in het bos?’ vraagt Vark.

‘Daar zeker niet,’ zegt Kraai.

‘Zeker weten?’ vraagt Kuik.

‘Ik ken het bos als geen ander,’ zegt Kraai.

‘Waar kan het dan zijn?’ vraagt Groene Poes.

‘Ik zou eens bij de rivier gaan kijken,’ zegt Kraai. ‘Waar de Rat van Weinig Woorden woont.’

Kuik en Vark en Groene Poes en Haas gaan op weg naar de rivier van Rat. Kraai is ook mee. Hij loopt voorop met de kaart in zijn hand.

Het is heel ver lopen, maar voor een witte kerst zijn ze bereid om naar het eind van de wereld te gaan. Maar eerst gaan ze naar Rat.

De Rat van Weinig Woorden zegt nooit veel, maar nu zegt hij wel heel weinig. Hij kijkt naar de kaart en haalt zijn schouders op.

‘Rat weet het ook al niet,’ zegt Kuik.

‘Niemand die het weet,’ zegt Groene Poes.

‘Wat nu?’ verzucht Haas.

‘Zoeken,’ zegt Vark. ‘Als we allemaal helpen zoeken, dan moeten we het vinden. Zoek je mee, Rat?’

Rat knikt en speurend gaan ze op weg, Kuik en Vark en Groene Poes en Kraai en de Rat van Weinig Woorden.

Na een poosje komen ze langs het huis van Vreemde Eend.

‘Wat zoeken jullie?’ vraagt ze.

Rat laat haar de kaart zien.

‘Wat een prachtig sneeuwlandschap,’ zegt Vreemde Eend. ‘Mag ik mee helpen zoeken?’

‘Graag,’ zegt Kuik.

Nu moet het toch lukken. Ze zijn met zijn zevenen op zoek, Kuik en Vark en Groene Poes en Haas en Kraai en Rat en Vreemde Eend. Maar niks hoor. Als ze ophouden met zoeken, hebben ze van alles gevonden: een lekke bal, een kapotte vlieger, twee paraplu’s, vijf knikkers, drie oude munten en een medaille. Maar geen sneeuwlandschap.

‘Ik geef het op,’ zegt Kuik. ‘Dan maar geen witte kerst, ik ga naar huis.’

‘Gaan jullie mee?’ vraagt Vark.

In een treurige optocht lopen Groene Poes, Haas, Kraai, Rat en Vreemde Eend achter Kuik en Vark aan naar huis. Het is al donker als ze eindelijk thuis zijn. Verkleumd van de kou en doodmoe van het zoeken kruipen ze meteen in bed, dicht tegen elkaar aan.

Ze slapen een gat in de dag. Vark is als eerste wakker. Hij schuift het gordijn open en kijkt naar buiten en wat hij dan ziet...

'Kuik!' roept hij. 'Snel, wakker worden! Het heeft gesneeuwd.'

Iedereen is meteen klaarwakker: Kuik, Groene Poes, Haas, Kraai, Rat en Vreemde Eend. Ze gaan met zijn allen om Vark heen staan bij het raam en zien een prachtig sneeuwlandschap, nog mooier dan op de kerstkaart.

'Vrolijk kerstfeest, iedereen!' roept Vark.

'Hoor ik daar ook bij?'

Ze draaien zich om. De deur van de kamer gaat open. Het is Liegbeest. Natuurlijk hoort Liegbeest er ook bij.

Kuik en Vark maken een groot kerstontbijt klaar, met warme chocolademelk en krentenbrood met spijs, en vertellen Liegbeest van de kerstkaart.

'Niemand wist waar het was,' zegt Vark.

'We hebben overal gezocht,' zegt Kuik.

'Had het aan mij gevraagd,' zegt Liegbeest.

'Wist jij het waar het was dan?'

'Tuurlijk,' zegt Liegbeest. 'Ik heb de kaart zelf aan jullie geschreven! Ik had zin in een witte kerst, met zijn allen!'

Oudejaarsavond

Burny Bos / Harmen van Straaten

Er logeert iemand bij Knofje en Elisabeth in huis.

Weet je wie het is? Oma! Oma wilde niet alleen thuisblijven.

'Met oudejaarsavond alleen is zo vervelend,' zegt ze. 'Daar word ik verdrietig van. Dan moet ik telkens aan opa denken.'

Bij Knofje thuis is zoveel te doen dat oma geen tijd heeft om verdrietig te worden.

Oma bakt oliebollen. Dat kan ze het beste van iedereen. Oma's oliebollen zijn altijd mooi rond. Ze hebben niet van die enge uitsteeksels. Vader bakt altijd oliebollen met uitsteeksels. Dat vindt hij leuk. 'Het zijn net spinnen,' zegt hij. 'Hmmm. Lekker!'

Vandaag worden er dus geen spinnen gebakken. Vandaag worden er alleen maar mooie ronde oliebollen gebakken.

De oliebollen zijn klaar. Ze liggen op een grote schaal. Oma strooit er poedersuiker over.

Dat is een mooi gezicht. Het lijkt wel Zwitserland, denkt Knofje. Ze knijpt haar ogen tot kleine kiertjes. Ja. Allemaal bergen onder de sneeuw.

Knofje ziet zichzelf op haar slee van een oliebol afglijden. Ze moet erom lachen. En Elisabeth lacht met haar mee. Terwijl ze niet eens weet waarover het gaat. Nou ja.

Vader komt de keuken binnen. Hij heeft een plastic tas in zijn hand. Hij houdt de tas hoog.

'Wat denk je dat hierin zit?' vraagt hij.

'Vuurwerk,' zegt Knofje. 'Zoals ieder jaar. Het staat trouwens op de tas.'

'O ja,' zegt vader. 'Eh...'

Vader ziet de oliebollen. 'Hmmm. Lekkere oliebollen,' zegt hij. Hij propt een grote oliebol in zijn mond.

'Gelukkig zijn het geen spinnen,' zegt Knofje.

'Habslut tonaaff,' zegt vader. Maar niemand verstaat wat hij zegt.

Moeder komt ook de keuken binnen. Ze draagt een tas met boodschappen.

'Ha,' zegt moeder. 'Dat ziet er goed uit.' Ze pakt ook al een oliebol. 'Hmmm. Heerlijk.'

Nu is het middag. Knofje zit met een sip gezicht in de keuken. De schaal waar de oliebollen op lagen is leeg. Steeds heeft iemand er een gepakt. Knofje zelf ook, hoor! Terwijl het morgen pas oudejaarsavond is.

'Ze zijn allemaal op,' zegt Knofje.

'Ja,' zegt Elisabeth, 'op.' Haar gezicht zit onder de poedersuiker.

'Op is op,' zegt oma. 'Daar is niks aan te doen.'

Maar volgens vader is er wel iets aan te doen.

‘Ga jij maar eens lekker in bad,’ zegt hij tegen oma. ‘Dan bak ik er nog een paar.’

‘Dat lijkt me een goed idee,’ zegt oma. ‘Ik ruik zo naar olie.’

Ze loopt de keuken uit. Elisabeth hobbelt achter oma aan. ‘Mee,’ zegt ze.

‘Goed’ zegt oma. ‘Kom jij maar mee.’

Het is nu echt oudejaarsavond.

Buiten is het donker. Elisabeth ligt in bed.

Maar Knofje niet. Knofje mag zo lang opblijven als ze maar wil.

Ze zit lekker dicht bij oma. Oma vertelt van vroeger. Toen ze zelf nog een klein meisje was. Knofje vindt het leuk als oma zulke verhalen vertelt. Ze probeert zich voor te stellen hoe oma eruitzag als meisje. Ze doet haar ogen dicht. Nog dichter kruipt ze tegen oma aan. En dan valt ze in slaap.

Jammer. Nu kan ze niet meer horen wat oma vertelt.

En ze kan ook niet zien dat vader zich in een oliebol verslikt. Een oliebol met spinnenpoten.

Kleine poesjes

Jacques Vriens / Harmen van Straaten

Als Lotje en Tommie uit school komen, ligt poes Nel zielig op de bank in de kamer. Ze hijgt alsmaar en maakt zachte prauwgeluidjes.

'Poes Nel is ziek,' zegt Tommie.

Mamma glimlacht en aait poes Nel zachtjes over haar kopje.

'Poes Nel is niet ziek. De kleine poesjes komen.'

Tommie danst door de kamer en roept: 'Hoi! Hoi! De kleine poesjes komen!'

Een tijdje geleden heeft moeder verteld dat Nel jonge poesjes zou krijgen. Eerst kon je het niet zo goed zien, maar de laatste tijd kreeg Nel een heel dikke buik.

Vol trots heeft Tommie het al op de peuterspeelzaal verteld.

Bijna iedere dag vroeg juffie Simone of de poesjes er al waren.

Nu is het eindelijk zover!

'Ik ga juffie Simone opbellen,' roept Tommie.

'Wacht nog maar even,' zegt mamma. 'De poesjes moeten eerst nog naar buiten komen.'

'Hoe dan?' vraagt Tommie.

'Dat heeft mamma toch al een keer verteld,' antwoordt Lotje, die poes Nel aan het aaien is.

'Ben ik vergeten.'

'Nou,' zegt Lotje, 'poes Nel heeft onder haar staart een gaatje. Daar komen de poesjes door naar buiten.'

Tommie gaat op zijn knieën voor de bank zitten.

Hij tilt de staart van poes Nel op en roept:

'Poesjes, kom eens naar buiten.'

'Je doet haar pijn,' zegt Lotje boos.

'Wat een klein gaatje,' roept Tommie. 'Daar kunnen ze nooit door.'

'Natuurlijk wel,' zegt Lotje. 'Dat gaatje is van elastiek. Dat gaat vanzelf verder open, als de poesjes erdoor willen.'

Tommie kijkt weer onder de staart van Nel, maar snapt er nog niet veel van.

Ineens staat poes Nel op.

Ze springt voorzichtig van de bank en loopt de kamer uit.

'Zie je nou wel,' roept Lotje. 'Nou is Nel boos. Dat is jouw schuld.' Ze geeft Tommie een duw.

'Au,' gilt Tommie en hij geeft Lotje een schop tegen haar voet.

'Ophouden!' zegt mamma.

'Ja maar, Tommie doet wild met Nel.'

'Zijn jullie nou helemaal betoeterd,' moppert mamma.

Tommie gaat boos op de grond zitten en begint te huilen.

Mamma pakt hem op. 'Kom, Tommie, stel je niet aan.'

'Lotje duwt me,' huilt Tommie.

'En hij schopt me,' bromt Lotje.

Mamma zucht eens diep. 'Nou moeten jullie eens goed luisteren. Jullie moeten rustig doen. Onze Nel krijgt jonge poesjes. Dat is véél belangrijker dan dat geruzie van jullie.'

'Dat is waar,' zegt Tommie en hij veegt zijn tranen weg.

'Waar is Nel nu?' vraagt Lotje.

'Naar boven,' antwoordt moeder. 'Ik denk dat ze een rustig plekje zoekt om te bevallen.'

Tommie schrikt. 'Gaat Nel vallen?'

Lotje moet lachen. 'Nee, suffie. Zo heet dat, als je baby's krijgt: bévallen.'

Moeder loopt de kamer uit.

'Komen jullie maar eens mee. Dan gaan we kijken waar Nel is. Maar wel rustig doen.'

Even later staan ze boven rondom het grote bed van pappa en mamma.

Nel ligt er middenop.

'Zou ze hier vallen?' vraagt Tommie.

Mamma knikt. Ze pakt een groot stuk plastic en legt dat op het bed. Daar overheen legt ze een oude dikke deken.

'Dat is voor de rommel,' zegt ze.

'Kleine poesjes zijn geen rommel,' zegt Tommie boos.

Dan vertelt mamma dat de poesjes in een klein zakje zitten in Nels buik. Als de poesjes naar buiten willen, gaat het zakje open. Eerst komt er dan water uit het gaatje en dan de poesjes. En als alle poesjes geboren zijn, komt er nog een soort rood balletje naar buiten.

'Dat is het eten voor de poesjes, als ze nog in de buik van Nel zitten,' legt mamma uit.

Voorzichtig zet mamma poes Nel op de deken.

'Zo, ga jij hier maar liggen. Dan wordt het grote bed niet nat.'

Lotje gaat op de grond voor het bed zitten.

Zachtjes begint ze te zingen:

'Klein poesje, kom maar gauw,
we wachten allemaal op jou.
Kom maar uit de buik van Nel
En...'

Verder weet ze het niet meer, maar mamma helpt haar:

'En begin maar met je poezenspel.'

Lotje klapt in haar handen.

'Ja, mamma, zo is het goed. Laten we het nog een keer zingen.'

'Klein poesje, kom maar gauw,
we wachten allemaal op jou.
Kom maar uit de buik van Nel
en begin maar met je poezenspel.'

Tommie wil weer Nels staart optillen om het tegen het gaatje te zingen, maar mamma zegt: 'We laten Nel nu even alleen; dat vindt ze veel fijner.'

'Moeten we niet helpen?' vraagt Lotje.

'Nee hoor, dat kunnen poezen zelf wel. Maar we gaan af en toe wel kijken of alles goed gaat.'

Wanneer ze de trap aflopen, komt pappa thuis.

'Nel gaat vallen,' gilt Tommie. 'Eerst komt er water, en dan poesjes met een rode bal.'

Ze krijgen allemaal een zoen van pappa en die gaat natuurlijk ook even naar Nel toe. En dan... dan moeten ze wachten.

Af en toe loopt mamma zachtjes naar boven om te kijken hoe het gaat met Nel. Maar er is nog niets.

Tommie en Lotje vinden dat het maar lang duurt.

Ze willen ook weer naar boven, maar dat mogen ze niet.

'Als de poesjes eruit komen, dan gaan we kijken,' zegt pappa. 'Maar nu moeten we Nel even met rust laten.'

Het duurt nog een hele tijd voordat de poesjes er zijn. Tommie rent door de kamer heen, springt op de bank op en neer, gooit een plant om en loopt te zingen. Hij zingt wel honderd keer: 'Klein poesje, kom maar gauw, we wachten allemaal op jou.'

Lotje probeert in een boek te lezen, maar ze moet telkens aan Nel denken.

Zelfs pappa en mamma zijn een beetje zenuwachtig.

Pappa helpt mamma in de keuken met aardappels schillen en spruitjes schoonmaken. Zij praten ook steeds over de poesjes. Als Lotje en Tommie weer ruzie krijgen, stelt pappa voor een spelletje te doen.

Ze doen 'Ik zie, ik zie, wat jij niet ziet'.

Als ze niks meer weten te bedenken om te raden, komt mamma binnen.

'Gaan jullie mee?' zegt ze. 'Het is zover.'

Tommie rent de kamer uit, maar mamma kan hem nog net beetpakken.
'Rustig,' zegt ze, 'we moeten heel zachtjes doen.'
Als ze boven bij het grote bed komen, is er al een poesje geboren.
Een heel klein grijs poesje met zwarte streepjes op zijn rug.

'Net als Nel,' zegt Lotje blij.
Dan komt het volgende poesje naar buiten. Poes Nel tilt haar pootje op en uit het gaatje zien ze een klein poezenkopje komen. Nel miauwt even zacht en dan: floep! In één keer ligt er een poesje op het grote bed.
'Ooooh,' roept Lotje, 'een zwarte, het is een zwarte!'
'Hij is helemaal nat,' zegt Tommie. 'En hij heeft kreukels.'
Pappa knikt. 'Dat komt omdat hij een beetje opgevouwen heeft gezeten in Nels buik. Nu is hij verfomfaaid.'
Tommie begrijpt het niet helemaal en vraagt: 'Is dat net als kreukels?'
'Ja,' antwoordt pappa. 'Verfomfaaid is net zoiets als kreukels.'
'Dan noemen we het kleine poesje Fomfaai,' zegt Tommie.
Lotje schudt haar hoofd. 'Dat vind ik een stomme naam.'
'Weet je wat?' zegt mamma, 'dan mag jij een naam verzinnen voor het grijze poesje.'
Maar lang kan Lotje daar niet over nadenken, want er komt nog een poesje naar buiten. Weer een zwart poesje, maar nu met witte sokjes.
'Die noemen we Sokje,' roept Lotje gauw, want ze is bang dat Tommie haar weer voor is met het verzinnen van een naam.
Terwijl poes Nel druk bezig is de poesjes schoon te likken, vertelt moeder dat de ogen van de kleintjes nog dicht zitten. Pas over tien dagen gaan die open.
Al kunnen ze dan nog niet zien, lawaai maken kunnen de poesjes wel.
Ze maken hoge piepgeluidjes en kruipen in het rond.
Behalve Sokje. Die beweegt niet.
'Waarom doet Sokje niks?' vraagt Lotje.
Pappa pakt het zwarte poesje met de witte pootjes op.
Sokje is helemaal slap.
Dan zegt pappa zacht: 'Ik geloof dat Sokje dood is.'
Het is even heel stil in de slaapkamer. Ze kijken elkaar aan.
Dan begint Lotje te huilen.
Tommie vraagt: 'Waarom is Sokje dood?'

Mamma slaat haar armen om Lotje en Tommie heen en zegt: 'Dat gebeurt wel eens als er jonge poesjes geboren worden. Poes Nel is niet zo groot en misschien waren drie poesjes in haar buik wel een beetje veel. Ik denk dat er niet genoeg eten was voor zoveel poesjes.'

Tommie kijkt met grote ogen naar het dode poesje en aait het dan voorzichtig.

'Hij is koud.'

Lotje veegt haar tranen weg en aait Sokje ook.

De twee andere poesjes liggen nu heel dicht tegen Nel aan en sabbelen aan de knopjes op Nels buik.

'Ze bijten Nel!' roept Tommie.

Iedereen moet gelukkig weer een beetje lachen.

'Ze drinken bij Nel,' zegt mamma. 'Uit die knopjes komt melk.'

Tommie snapt het en zegt: 'Nel heeft kranen op haar buik.'

'Weet je wat,' stelt pappa voor. 'Mamma blijft nog even bij Nel om te kijken of alles verder goed gaat en wij gaan Sokje in de tuin begraven.'

Even later staan pappa, Tommie en Lotje in de tuin.

Ze maken een diep gat in de grond en leggen Sokje er voorzichtig in.

Als pappa het gat weer dichtgooit, moet Lotje weer een beetje huilen.

'Sokje is dood,' zingt Tommie zacht. 'Sokje is helemaal dood.'

Dan weet Lotje wat ze gaat doen.

Ze loopt naar binnen en neemt een stuk papier. Daarop schrijft ze een liedje voor Sokje.

Dan gaat ze weer naar buiten en pakt een tak. Die zet ze in de grond op de plaats waar Sokje begraven ligt. Aan die tak hangt ze het papiertje.

Dit staat erop:

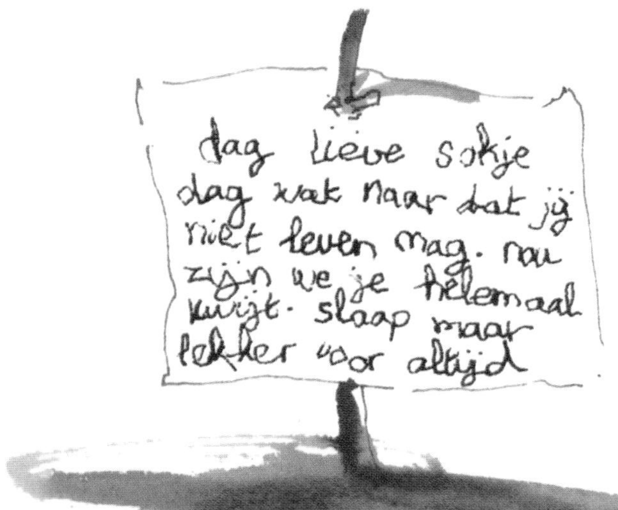

Jokken

Miep Diekmann / Thé Tjong-Khing

Hannes zit al een hele tijd alleen op de zandhoop. Saai, hoor! Telkens kijkt hij of Kaatje al komt. Als ze eindelijk de zandhoop opklimt, kan hij niet eens vragen: 'Waar was je?' Want Kaatje begint meteen te praten, heel vlug... net een zak erwtjes, die leegloopt.

'Ik mocht niet weg,' ratelt ze. 'Ik moest eerst mijn melk opdrinken. Bah, vieze melk, een hele beker. Mijn moeder koopt soms echte melk. Ze wil liever geen melk in een fles of een pak. Ze heeft melk van een boer. Melk met brokken.'

Hannes zegt: 'Da's juist lekker, melk met brokken. Dat krijgen ze ook in het versje van die boot met thee:

Schuitje varen, theetje drinken,
varen we naar de Overtoom,
drinken we zoete melk met room,
zoete melk met brokken,
kindje mag niet jokken.'

Kwaad schreeuwt Kaatje: 'Hannes is hartstikke gek. Melk met brokken is melk met vellen. Van die dikke, enge kleefvellen.'

'Nietes,' roept Hannes. 'Brokken is lekker. Brokken is net als hondenbrokjes, maar dan voor kinderen.'

Verbaasd vraagt Kaatje: 'Hoe weet je dat?'

Hannes zegt: 'Heeft mijn oma zelf verteld. En de Overtoom is een drukke straat in Amsterdam. Maar vroeger was die straat water. Dan gingen de mensen er met een schuit naartoe varen.'

'Nietwaar!' roept Kaatje. 'Je verzint maar wat. Je jokt. Dat mag niet in dat liedje. En van je vader en moeder ook niet.'

Hannes glijdt van de zandhoop af. Hij zegt: 'Ik speel niet meer met je.'

Hij kijkt om naar Kaatje en daarom ziet hij niet dat er onder bij de zandhoop een grote plas ligt. Hij glijdt er middenin.

Het water en de modder spatten over zijn kleren, over zijn hoofd.

Kaatje staat te lachen, te lachen...

Dan kan Hannes ineens niet meer huilen en zielig doen. Hannes lácht, lácht...

Met zijn moddergezicht klimt Hannes de zandhoop weer op.

'Ik ga je schoon poetsen, anders krijg je thuis op je kop,' zegt Kaatje.

Ze spuugt op haar hand en veegt de spuug over Hannes' gezicht. Maar de modderspatten worden er alleen maar moddervégen van.

'Weet je wat?' vraagt Kaatje. 'We zeggen tegen je moeder dat jij een Indiaan was, die moest strepen op zijn gezicht.'

Hannes voelt aan zijn kletsnatte broek. 'Nee,' zegt hij. 'Dan moet ik ook zeggen dat die Indiaan het in zijn broek gedaan heeft. Zo is het niet gegaan. Mijn moeder weet het toch altijd als ik jok.'

'Mijn moeder ook. Hóé weten ze dat?' vraagt Kaatje.

Hannes zegt: 'Misschien leren ze dat van de televisie. Op de televisie is soms een les voor grote mensen. Dat heb ik een keer bij mijn oma gezien. Toen was er een les voor meneren, over gaatjes boren. En mijn oma wou ook gaatjes leren boren.'

'En was er ook een les voor moeders... over kinderen die jokken?' wil Kaatje weten.

Hannes zegt: 'Weet ik niet. Maar er moet ook een les zijn dat grote mensen niet mogen jokken. Bijvoorbeeld als de telefoon gaat... dan zegt mijn moeder dat mijn vader niet thuis is. En dan is mijn vader wel thuis.'

'Ja,' roept Kaatje, 'of als... als ze zeggen dat de prik bij de dokter geen pijn doet. En die prik doet wel pijn.'

Hannes zegt: 'Een béétje pijn. Ik vond het niks erg.'

'Hannes jokt!' schreeuwt Kaatje.

En allebei stikken ze weer van het lachen.

Ssssst!

Selma Noort / Sandra Klaassen

Er staat een doos in de keuken. Een mooie grote doos, zomaar, onder het keukentafeltje.

Esra en Bart komen uit Esra's kamertje. Ze kijken naar de doos. Esra loopt ernaartoe en gluurt erin.

'Wat zit erin?' vraagt Bart.

'Een spook,' zegt Esra.

Maar de zon schijnt buiten en Bart hoort *baba* en *anne*, Esra's papa en mama, binnen in de kamer praten.

'Haha, een spook!' zegt hij. Hij loopt ook naar de doos en kijkt erin. 'Niks.'

Esra vouwt de kleppen van de doos open. 'Ik pas erin,' zegt ze. Ze stapt in de doos en gaat op haar hurken zitten. De doos kraakt. Ze zakt nog verder en legt haar hoofd op haar knietjes. 'Doe hem eens dicht.'

De doos kan dicht.

'Is het donker binnen?' vraagt Bart.

'Een beetje,' zegt Esra. 'Nou moet jij.'

Bart klimt over de rand. Hij stapt op Esra's tenen en trapt op haar benen. Hij kan er niets aan doen. Maar het lukt om bij Esra in de doos te zitten.

'Ik ben helemaal opgevouwen,' fluistert Bart.

'Sssst!' zegt Esra. 'Ik hoor anne.'

'Bart, Esra, komen jullie limonade drinken?' roept anne.

'Sssst!' sist Esra nog eens, heel zacht.

Bart knijpt zijn ogen stijf dicht. Hij zit verstopt! En anne weet niet waar!

'Esra? Bart?' Annes stem klinkt verbaasd. 'Waar zijn jullie?'

Dan komen annes voetstappen naar de keuken. Anne trekt de kleppen open. Het wordt licht in de doos.

'Hoe bestaat het!' roept anne.

Baba komt kijken. 'Twee kinderen in dat doosje!' zegt hij verbaasd.

Anne helpt Esra en Bart uit de doos. Esra kijkt naar de lege doos.

'We pasten er echt in, hè?' zegt ze tegen Bart.

Een boze baby

Selma Noort / Sandra Klaassen

Esra en Bart zijn met anne bij de slager. Het is er druk, anne wacht al lang op haar beurt. Bart en Esra staan bij het raam.

Er komt een moeder binnen met een grote dikke baby in een wandelwagentje. Die zet ze bij Bart en Esra. Zelf gaat ze tussen de andere mensen staan.

Bart en Esra staren naar de baby. De baby staart terug. Hij heeft een speen in zijn mond waar hij hard op zuigt. De speen zit met een lintje vast aan zijn jasje.

Bart kan er niets aan doen. Hij wil heel graag weten wat er gebeurt als hij aan die speen trekt. Zijn hand gaat al naar de baby toe. Hij pakt de speen vast. De baby krijgt grote, ronde ogen van verbazing.

PLOP!

Esra slaat haar handjes voor haar mond. Ze begint te giechelen.

De baby kreukelt zijn gezicht. Zijn oogjes gaan stijf dicht. Hij wordt rood en zijn mondje gaat wijdopen. 'WHAAAAH!'

Bart pakt Esra's hand. Ze doen een paar stapjes achteruit. Esra giechelt niet meer. Een beetje angstig kijkt ze om naar anne, maar die is eindelijk aan de beurt en wijst net iets aan.

De moeder van de baby komt tussen de mensen vandaan.

'Och och,' zegt ze. Ze pakt het speentje en stopt het terug in de grote gilmond van de baby. Die snikt nog eens, zijn mond gaat dicht, en hij is weer stil.

'Kom Esra, kom Bart,' zegt anne. Ze is klaar met haar boodschappen en houdt de deur van de winkel open.

Esra en Bart stappen langs haar heen naar buiten. De baby zit achter het raam. Zijn oogjes schitteren nijdig.

Esra loopt snel achter anne aan en geeft haar een hand. Bart rent naar haar andere hand en pakt die vast.

'Nou, nou, wat een lieve kindertjes,' zegt anne verbaasd.

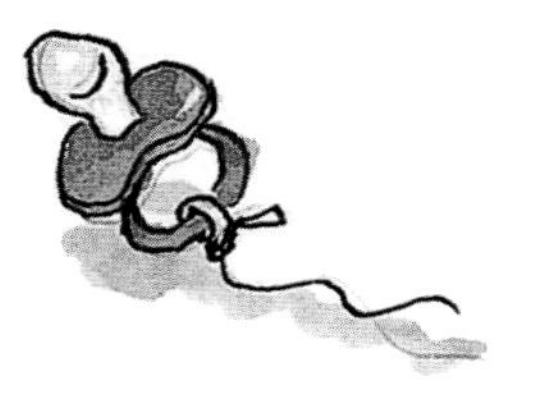

Woorden zijn gek

Hans Kuyper / Annemarie van Haeringen

Woorden zijn gek.
Woorden zijn raar.
Moet je maar horen.
Ik noem er een paar.

Muziek, wat is dat?
Ja, een dans. Of een lied.
En dat heet dan muziek.
Maar ziek is het toch niet?

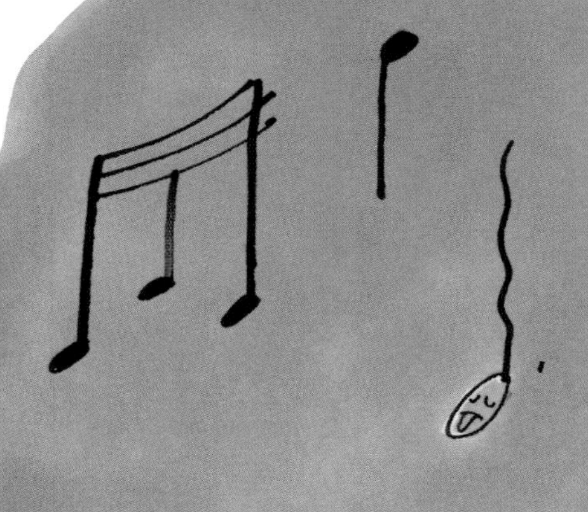

En snoepgoed, dat woord
begrijp ik niet echt.
Want altijd weer hoor ik:
snoep is juist heel slecht.

Ook gek: de visite.
Visite, hoor je het?
Terwijl ze echt nooit vies zijn,
maar schoon, fris en net.

Een steelpan, die koop je.
En sla doet geen pijn.
Wat wordt een wortel,
wat zout dat toch azijn?

Woorden zijn gek.
Woorden zijn raar.
Denk maar eens na.
Ken jij er een paar?

Verhuisdag

Floortje Zwigtman / Philip Hopman

Het is ochtend.

Sanne ligt in haar grote, zachte bed.

Met Bleke Bet, de babypop, onder haar ene arm en Lange Flip, de giraffe, onder haar andere arm.

Ze slapen.

Sanne en Bleke Bet met hun ogen dicht en Lange Flip met zijn ogen open.

Want die kunnen niet dicht.

De deur gaat open en mama komt binnen.

Ze heeft een doos bij zich.

'Wakker worden!' roept ze. 'We gaan vandaag verhuizen! Straks gaan we naar ons nieuwe huis!'

Sanne gaapt en wrijft in haar ogen.

Verhuizen? O ja!

Al wekenlang staat het huis vol dozen. Daar gingen steeds meer spullen in: borden, boeken, kleren en ook het speelgoed van Sanne.

Mama pakt Lange Flip en Bleke Bet. Die moeten nu ook in een doos.

'Hé!' roept Sanne. 'Flip en Bet gaan met mij mee in de auto!'

Mama mag ze niet in een doos stoppen.

Daar is het donker en eng.

Misschien gaat Bleke Bet wel huilen.

En wie weet raakt de doos zoek.

Stel je voor dat de verhuizers hem op de stoep laten staan en de vuilnisauto hem meeneemt...

Sanne klemt haar armen stevig om haar poppen heen.

‘Sanne, niet zeuren,’ zegt mama. ‘Ik heb het druk vandaag. Ik heb geen tijd om op jou *en* twee poppen te letten. Ze gaan gewoon in de doos.’

Ze pakt Lange Flip bij zijn lange nek en Bleke Bet bij een bleek been.

Plof, daar landen ze op de bodem van de doos.

Sanne krijgt tranen in haar ogen en een naar gevoel in haar buik.

‘Niet huilen,’ zegt mama. ‘We zijn zó in ons nieuwe huis en dan halen we jouw poppen uit de doos. Maar nu moeten we opschieten. Kom op, we gaan onder de douche.’

Ze tilt Sanne uit haar bed en duwt haar naar de badkamer.

Sanne staat op de stoep. Ze kijkt naar het huis.

Dat ziet er gek uit.

Helemaal leeg.

In de vensterbank staan geen planten meer en ook de gordijnen zijn weg.

Het lijkt niet meer op het huis van Sanne en mama, maar op een huis waar niemand woont.

Sanne krijgt weer dat nare gevoel in haar buik.

Voor het raam van de buren staan Iemke en Peter, de buurkinderen. Ze zwaaien en roepen: 'Dag Sanne! Dag Sanne!'

Sanne zwaait terug. Straks zijn Iemke en Peter haar buurkinderen niet meer. Binnenkort krijgen ze een nieuw buurmeisje en vergeten ze haar.

'Hé, meisje, niet zo verdrietig kijken! Wil je met ons meerijden in de vrachtwagen?'

Een grote man springt uit de verhuisauto.

Sanne kijkt omhoog. De verhuisauto is rood en bijna zo hoog als een huis. In de auto zitten al hun spullen.

Ook Lange Flip en Bleke Bet in een doos.

Sanne wil met Flip en Bet meerijden.

'Ik wil mee!' roept ze tegen de grote man.

Die lacht en tilt haar in de verhuisauto.

Sanne zit op een zwarte autostoel. Heel hoog. Ze kijkt over alle andere auto's heen.

De motor van de verhuiswagen gromt. Hij klinkt veel harder dan die van de auto van mama.

'Dit is de sterkste auto ter wereld, hè?' vraagt Sanne aan de grote verhuizer.

Die lacht: 'Wacht dacht je dan? De grootste, de sterkste en de snelste!'

Ze rijden over een drukke weg naar een andere stad. Daar gaat Sanne nu wonen.

'Kijk eens,' wijst de verhuizer, 'dat is je nieuwe huis.'

Het nieuwe huis is even leeg als het oude. Maar nu wordt Sanne daar niet verdrietig van. Het is spannend.

Mama maakt de voordeur open.

Sanne rent naar binnen. Ze wil het nieuwe huis zien, alle kamers!

Daar is de keuken en daar de wc en daar de kamer waar je eet en televisie kijkt.

Dat zijn alle kamers beneden.

Sanne holt de trap op.

Daar moet haar eigen kamer zijn.

Ze doet een deur open.

Nee, dat is de badkamer.

Die deur dan?

Nee, dat is een saaie grote-mensen-slaapkamer met wit behang.

Dan is er nog maar één deur over.

Sanne gooit hem wijd open.

Ja, deze kamer wordt van haar!

Op de muren zit blauw behang met scheepjes erop. Rode scheepjes en groene. Op de vloer ligt blauw tapijt, zo blauw als het water van de zee.

De kamer is zo groot dat je er bootje kunt spelen. Het tapijt is de zee. En een verhuisdoos het bootje. Sanne wil de kapitein zijn. En Lange Flip en Bleke Bet moeten de matrozen zijn.

Mama komt naar boven. Ze draagt drie dozen, boven op elkaar.

'Dit wordt mijn kamer!' roept Sanne voor de zekerheid. Want ze wil geen stomme kamer.

'Dan zet ik hier mijn dozen neer,' puft mama.

Sanne klimt op de stapel dozen en springt op het blauwe tapijt.

'In welke doos zitten Bet en Flip?' vraagt ze. 'We gaan bootje spelen.'

Mama krabt achter haar oor. Ze denkt aan andere dingen.

'Waar zal ik het bed eens zetten?' mompelt ze tegen zichzelf. 'En de speelgoedkast?'

Ze luistert niet naar Sanne.

Nou, dan gaat Sanne wel zelf zoeken.

Ze pakt de bovenste doos.
Oei, die is zwaar! Sanne laat hem met een bons op de vloer vallen.
De doos gaat open. Er zitten schoenen in. Geen Lange Flip of Bleke Bet.
'Sanne, doe niet zo lastig,' zucht mama. 'Je maakt er een troep van. Ga ergens anders spelen.'

'Maar mijn poppen dan?' vraagt Sanne. 'In het nieuwe huis zouden we ze uit de doos halen. Dat zei je zelf!'
'Ja, kind, dat gaan we ook doen. Maar niet meteen. Straks. Straks ga ik met jou naar de poppen zoeken. Nu heb ik het veel te druk.'
Sanne loopt boos de kamer uit. Ze gaat Lange Flip en Bleke Bet zelf wel zoeken.
Het nare gevoel in haar buik is weer terug.

In huis is het een enorme troep.
Overal staan dozen.
Zoveel dozen dat je kunt verdwalen in de keuken.
In welke doos zullen Bet en Flip zitten?
Sanne maakt een doos open.
Er zitten pannen in. Maar misschien liggen haar poppen wel helemaal onderin.
Sanne gooit de pannen uit de doos. Kleng, kling, klang, daar kletteren ze op de keukenvloer.
Nee, in deze doos zitten haar poppen niet.
Ze pakt een nieuwe doos. Die zit vol met spullen die mama met wc-papier heeft ingepakt, zodat ze niet zullen breken.
Ze haalt ze er allemaal uit. Nee, weer geen Bleke Bet en Lange Flip.
Heeft mama ze misschien ingepakt?
Sanne trekt het wc-papier van de spullen af. Het worden lange, witte slingers.
Ze gooit ze in de lucht. Langzaam zweven ze weer naar beneden. Op Sannes hoofd, op de dozen, op de keukenvloer.
Dat is leuk, maar haar poppen vindt Sanne niet terug.
In de doos zitten kopjes en borden en een theepot. Harde dingen. Geen dingen die je fijn kunt knuffelen.
Sanne maakt de derde doos open. Ook allemaal spullen in wc-papier.

Ze pakt alles uit. De berg wc-papier wordt steeds hoger. Sanne verdwijnt er bijna in.

Ze struikelt over het papier en over de kopjes en borden op de vloer. Krak! doet een kopje.

'Sanne, wat voer jij daar uit?'

Dat is mama's stem. Ze klinkt boos. Sanne verstopt zich achter de berg wc-papier, maar mama heeft haar allang gezien. Ze trekt Sanne aan haar arm overeind.

'Vervelende meid! Ik heb het al zo druk, moet ik ook nog eens jouw troep opruimen! Waarom heb je dat gedaan?'

'Ik zoek mijn poppen. Jij wil niet helpen. Je bent niet lief in het nieuwe huis!' schreeuwt Sanne.

Haar buik doet zo'n pijn dat het wel lijkt of er vanbinnen een boos mannetje op en neer springt.

'Ik wil terug naar ons oude huis. Naar mijn eigen kamer en naar mijn eigen bed, met Lange Flip en Bleke Bet!'

Ze stampt op de vloer, in het witte wc-papier.

'O meisje toch.'

Mama tilt Sanne op. Sanne verstopt haar gezicht in mama's haar. Ze lijkt niet zo boos meer.

'Ik heb buikpijn,' zegt Sanne zacht.

'Dat is heimwee-buikpijn,' zegt mama. 'Jij mist ons oude huis en daarom doet je buik pijn. Maar weet je wat daartegen helpt?'

Sanne schudt haar hoofd.

'Een oud, vertrouwd kamertje.'

Mama draagt Sanne de trap op. Ze doet de deur van haar nieuwe kamer open.

'Kijk eens,' zegt ze.

Sanne kijkt.

In haar nieuwe kamer staat haar oude bed. Naast haar bed staat de speelgoedkast. Haar eigen speelgoedkast. En boven op de speelgoedkast zitten...

'Bleke Bet! Lange Flip!' roept Sanne.

Ze springt op de grond en rent naar de speelgoedkast toe.

Ze knuffelt haar poppen. Ze ruiken lekker: naar het oude huis en maar een beetje naar doos.

Sannes buik doet geen pijn meer.

Straks gaat ze bootje spelen op het nieuwe, blauwe tapijt. Met Bleke Bet en Lange Flip natuurlijk.

Het is nacht.

Sanne ligt in haar nieuwe kamer in haar grote, zachte bed.

Met Bleke Bet, de babypop, onder haar ene arm en Lange Flip, de giraffe, onder haar andere arm.

Ze slapen.

Sanne en Bleke Bet met hun ogen dicht en Lange Flip met zijn ogen open.

Net als thuis.

Drie nachtjes slapen

Lydia Rood / Annemarie van Haeringen

'Nog drie nachtjes slapen,' zegt papa tegen Roosmarijn. 'Dan ben je vier. Weet je al wat voor cadeautje je wilt?'

'Ja,' zegt Roosmarijn. 'Een muizenvanger.'

'Bedoel je een poes?' vraagt papa.

'Nee, want die maakt de muizen dood. Ik wil een levende muis.'

'O,' zegt papa. 'Maar zo'n muizenvanger bestaat geloof ik niet.'

'Dan wil ik...' zegt Roosmarijn. Ze denkt even na. 'Dan wil ik een... opstekoppe fiets. Dat je met je handen moet trappen en met je voeten kunt zwaaien naar de mensen op de stoep.'

'Zulke fietsen bestaan niet,' zegt papa.

'Nou, dan wil ik... Dan wil ik gewoon een circusrups. Die kunstjes kan. Voor op mijn kamer.'

'Maar rupsen worden vlinders,' zegt papa. 'Die kun je geen kunstjes leren, want voor je het weet zijn ze al veranderd in een ander dier. Snap je? Circusrupsen bestaan niet.'

'Nou goed, dan wil ik helemaal niks,' zegt Roosmarijn boos. 'En jarig zijn wil ik ook niet. Ik blijf wel gewoon drie.'

'Jij wilt allemaal dingen die niet kunnen,' zegt papa. 'Vier word je toch. Drie nachtjes slapen en dan ben je het vanzelf.'

Roosmarijn draait zich om. Papa is vervelend.

'Nee,' zegt ze, 'want ik ga helemaal niet meer naar bed. Niet één nachtje. Dus ik blijf drie.'

Ze kijkt nog even om naar papa.
Die zit met zijn hoofd
te schudden.
Hij gelooft haar
zeker niet.
'Wacht maar eens af!'
zegt Roosmarijn.

Kikker is jarig *Max Velthuijs*

‘Hallo Kikker, waarom kijk je zo treurig? Wat is er aan de hand?’ vraagt Muis.
‘Ik ben vandaag jarig,’ zegt Kikker.
‘Maar waarom huil je dan, Kikker? Het is toch juist fijn om jarig te zijn!’
‘Helemaal niet,’ snikt Kikker. ‘Er is niemand gekomen om me te feliciteren.’
‘Arme Kikker,’ zegt Muis. ‘Kom maar mee. Thuis heb ik wat lekkers voor je.’
Ze lopen samen naar het huis van Muis.
‘Kijk eens wat een heerlijke eikels,’ zegt Muis.
Maar Kikker houdt niet van eikels.
‘Een lekker stukje kaas?’ vraagt Muis.
Maar Kikker vindt kaas vies.
‘Een stukje worst misschien?’
Nee, worst is niks voor een kikker.
‘Jij lust helemaal niks!’ roept Muis wanhopig.
Kikker kan het niet helpen.
Muis denkt lang na.
‘Ik weet al wat je lekker vindt!’ roept ze opeens.
Ze loopt naar de keuken.
Kikker is nieuwsgierig en gaat kijken.
Het ruikt heerlijk!
‘Slootwatersoep met kroos, dat zal je smaken,’ zegt Muis. En ze zet een kom dampende soep voor Kikker op tafel.
Ja, daar is Kikker dol op. En terwijl hij zit te smullen, speelt Muis op haar viool een mooi verjaardagslied.
Als Kikker zijn buikje vol heeft, schuift hij zijn stoel achteruit.
‘Dat is nog eens een fijne verjaardag!’ zucht hij tevreden.

Tellen met Muis

Lucy Cousins

Hoeveel bloemen kan Muis tellen?

2 twee

3 drie

6 zes

7 zeven

8 acht

9 negen

10 tien

Kleuren kijken met Muis

Lucy Cousins

Welke kleuren kan Muis aanwijzen?

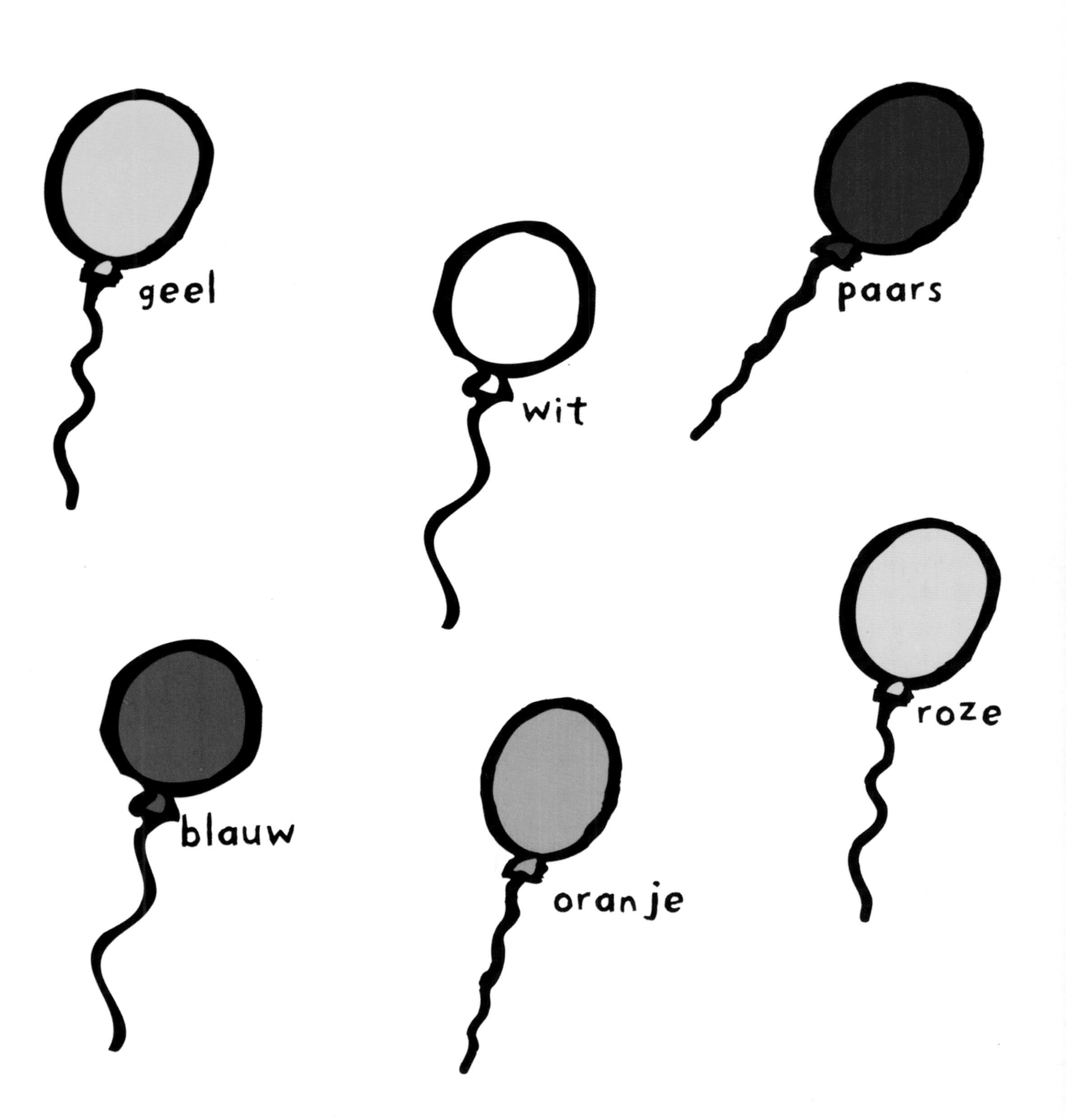
geel
wit
paars
roze
blauw
oranje

Auto's,
Kathy Henderson / Charlotte Hard
Tijd voor vertrek,
de auto start.
Waar gaan we heen?
We rijden en rijden,
langzaam en hard,
op weg naar een
mooie plek.
WEGEN.
Wij willen wegen!

s, auto's!
Smalle weggetjes hier,
achtbaanswegen daar,
beton en asfalt
slingeren door elkaar.
Wat maakt het ook uit?
Sloop die huizen maar!
Wegen.
Wij willen
WEGEN!
Wat een mooie dag!

De egel is ziek

Hanna Kraan / Annemarie van Haeringen

Op een morgen rende de haas naar het huis van de egel en trommelde met zijn vuisten op de deur. Er kwam geen antwoord.

De haas duwde de deur open en keek naar binnen. De egel zat in een stoel met een deken om zijn schouders.

'Hoorde je me niet?' vroeg de haas en hij stapte naar binnen.

'Ja...' zei de egel.

'Wat is er met je, waarom heb je die deken om?'

'Het is zo koud,' klaagde de egel.

'Koud? Het is helemaal niet koud, het is heerlijk weer. Ga je mee picknicken? De uil komt ook.'

Uche uche uche, hoestte de egel.

'Wat zeg je?'

'Ik zeg niks, ik hoestte.'

De haas keek de egel onderzoekend aan. Hij schrok.

'Wat zie je er raar uit. Ben je ziek?'

De egel rilde.

'Je hebt koorts!' zei de haas. 'Je moet naar bed.'

'Ik wil niet naar bed. Ik wil picknicken.'

'Je denkt toch niet dat wij gaan picknicken als jij ziek bent? Daar wachten we mee tot je weer beter bent.'

'Dan ga ik naar bed,' zei de egel. Hij stond moeizaam op, liep naar zijn bed en kroop onder de dekens.

'Wil je iets drinken?' vroeg de haas.

De egel schudde van nee.

'Iets eten?'

'Nee...'

'Iets lezen?'

'Nee...' fluisterde de egel en hij deed zijn ogen dicht.

De haas liep zenuwachtig heen en weer. 'Hoe voel je je?' vroeg hij.

'Pijn,' zei de egel schor. 'Overal pijn.'

Er werd geklopt en de uil kwam binnen met een grote picknickmand. 'Kijk eens!' riep hij trots. 'Vol met lekkere dingen.'

'Ssst!' siste de haas en hij wees naar de egel.

De uil schrok. 'Is hij ziek?'

'Ja,' zei de haas. 'Hij heeft koorts.'

'En pijn,' zei de egel klagend.

De uil zette de mand in een hoekje. 'Ik blijf wel hier,' zei hij.

'Ik blijf ook,' zei de haas.

Samen zorgden ze voor de egel. Ze gaven hem te drinken, ze maakten thee met beschuit, de haas las voor uit het lievelingsboek van de egel, de uil droeg gedichten voor... En daarna zaten ze alleen nog maar stilletjes bij het bed, want de egel werd steeds zieker. Hij lag heel stil, met zijn ogen dicht. Hij wilde niets eten en hij gaf ook geen antwoord meer. De haas en de uil werden steeds ongeruster.

'Wat moeten we doen?' vroeg de uil.

De haas zat met zijn hoofd in zijn handen aan het voeteneind. Ineens stond hij op. 'Ik ga de heks halen,' zei hij.

'De heks...' zei de uil. 'Denk je, dat zij...?'

'Ja,' zei de haas. 'Ze weet alles van kruiden en ze kent wel honderd toverspreuken. Misschien kan zij de egel beter maken.'

De uil keek naar de egel en knikte. 'Ga maar gauw,' zei hij.

De haas liep op zijn tenen naar buiten en rende naar het hutje van de boze heks. Hij bonsde op de deur. De heks deed open. 'Niet storen,' zei ze. 'Ik ben bezig.'

'Het is dringend,' zei de haas buiten adem. 'De egel is ziek.'

'De egel,' zei de heks minachtend. 'De egel overdrijft altijd.'

'Deze keer niet, echt niet,' zei de haas. 'Hij heeft hoge koorts en overal pijn. Heeft u niets om hem beter te maken?'

'Hij wordt vanzelf wel weer beter,' zei de heks. Ze slofte naar de kast en pakte een flesje van de bovenste plank.

'Hij wil niets eten,' zei de haas. 'En hij zegt niets meer. Hij ligt maar.'

De heks pakte een doosje uit een la.

'Komt u alstublieft even naar hem kijken,' zei de haas. 'Alstublieft. We zijn zo ongerust.'

‘Het zal heus wel meevallen,’ zei de heks.
‘Nee nee,’ riep de haas wanhopig. ‘Hij is echt...’
De heks pakte haar bezem en duwde de haas opzij. ‘Uit de weg! Ik heb nog meer te doen.’ Ze liep naar buiten, sprong op haar bezem en weg was ze.
De haas zuchtte diep. Akelig mens! Ze wou niet eens luisteren!
Hij keek naar de kast. Wat een flesjes! Zou daar geen medicijn voor de egel bij zijn?
De haas ging op zijn tenen staan en pakte een flesje van de plank. Er zat een groen, troebel drankje in. De haas rook eraan. Bah! Gauw zette hij het flesje weer terug.
Op de onderste plank stond een schoteltje met geel poeder. Dat rook beter.
‘Even kijken wat er gebeurt,’ zei de haas zachtjes.
Hij pakte het schoteltje en schudde een klein beetje poeder op de tafel. Er klonk een harde knal en ineens was het tafelkleed geel.
Met trillende handen zette de haas het schoteltje weer in de kast.
‘Afblijven!’ zei hij tegen zichzelf. ‘Stel je voor, dat ik de egel in iets griezeligs verander, of helemaal wegtover...’
Hij huiverde bij de gedachte. Snel liep hij naar buiten. Onderweg plukte hij bloemen voor de egel.
Toen de haas bij het huis van de egel aankwam, zag hij dat er een bezem naast de deur stond.
‘Hé...’ zei de haas. Hij ging gauw naar binnen.
De egel lag nog stil in bed, de heks zat naast hem toverspreuken te mompelen en de uil kwam aanlopen met een glas water.
‘U bent toch gekomen!’ riep de haas. ‘Ik dacht...’
De heks keek om. ‘Ben je daar eindelijk! Waar bleef je zo lang?’
De haas pakte een vaas. ‘Ik heb bloemen geplukt,’ zei hij. ‘En... en... uw tafelkleed is per ongeluk een beetje geel geworden...’
‘Wat!’ riep de heks. ‘Was jij in mijn kast aan het neuzen?’
‘Ik, ik zocht een medicijn voor de egel...’ hakkelde de haas.
De heks grinnikte. ‘Dat staat niet meer in de kast, want dat heb ik hier.’
Ze haalde een flesje uit haar schort en goot het leeg in het glas water.
‘Opdrinken,’ zei ze tegen de egel.
‘Nee,’ fluisterde de egel. ‘Dan verander ik in een dennenappel of een fruitvliegje.’

‘Drink op,’ zei de heks dreigend, ‘of ik verander je echt in een fruitvliegje.’
De egel klemde zijn kiezen op elkaar.
‘Drink nou maar,’ zei de uil. ‘Ze meent het goed.’
‘Eén slokje helpt al,’ zei de heks.

De egel nam met tegenzin een heel klein slokje. ‘Lekker!’ zei hij verbaasd en in één teug dronk hij het hele glas leeg.
‘Dat dacht ik ook,’ zei de heks en ze pakte een doosje. ‘Nu nog een poedertje.’
‘Hap!’ zei de egel.
‘Bah!’ riep hij. ‘Bah, wat is dat vies!’
‘Hihihi, maar het helpt wel,’ grinnikte de heks. ‘Nog een hapje?’
De egel schudde zijn hoofd en sloot zijn ogen.
‘Hoe voel je je nu?’ vroeg de haas.
‘Slecht,’ zei de egel met zwakke stem. ‘Overal pijn. In mijn hoofd... in mijn tenen... zzzz.’
‘Wat is er met hem?’ vroeg de uil angstig.
‘Hij slaapt,’ zei de heks. ‘En nu aan het werk, jullie. Eten maken. Veel en lekker eten.’
De uil pakte de picknickmand en tilde hem op tafel. ‘Hier is alvast een mand vol lekkere dingen.’
De haas deed de kast open. ‘En hier staat nog veel meer.’
De heks pakte een paar pannen en met zijn drieën maakten ze een grote maaltijd klaar. Alles wat de egel lekker vond, was er.
Toen alles op tafel stond, sloeg de heks twee deksels tegen elkaar. ‘Wakker worden, slaapkop!’ riep ze.
De egel deed zijn ogen open en gaapte luid.
‘Hoe voel je je nu?’ vroeg de haas.
‘Pijn...’ zei de egel. ‘In mijn maag.’
De uil keek zorgelijk naar de heks. Die pakte een lepel en zei: ‘Je moet iets eten.’
‘Ik kan niet eten,’ zei de egel. ‘Ik heb maagpijn.’
De heks haalde haar schouders op.
‘Dan gaan wij eten.’
‘Ik heb niet zo’n trek,’ zei de haas.
‘Ik ook niet,’ zei de uil.

'Maar ik wel!' zei de heks en ze schepte de borden vol.
De egel snoof. 'Misschien moet ik toch maar een hapje proberen,' zei hij met een zwak stemmetje.
'Goed zo!' riep de haas. 'Wat wil je hebben?'
De egel keek naar de tafel. 'Alles!' zei hij.
'Maar je hebt maagpijn,' zei de uil.
De egel zei een hele tijd niets. Hij at en hij at en hij at tot de tafel bijna leeg was. Toen leunde hij achterover en pufte: 'Dat was geen maagpijn. Dat was honger!'
'Hoera! Je bent weer beter!' riepen de haas en de uil.
De heks stond op. 'Ik zei toch, dat hij vanzelf wel weer beter werd.'
'Niet helemaal vanzelf,' zei de haas. 'U heeft geholpen.'
De uil knikte.
De egel pakte de hand van de heks. 'Je bent de beste heks van de wereld.'
'Jajaja,' zei de heks verlegen. 'Uit de weg, jullie. Ik heb nog meer te doen vandaag.' Ze liep naar buiten, pakte haar bezem en verdween.
De egel keek naar de open deur. 'Wat een mooi weer! Ik wil naar buiten.'
'We kunnen niet meer gaan picknicken,' zei de uil. 'Alles is op.'
'We kunnen bloemen gaan plukken,' zei de haas.
De egel wees naar de vaas. 'Ik heb al bloemen.'
'Bloemen voor de heks!' zei de haas.

De begrafenis

Guus Kuijer / Mance Post

Het is stil bij opa thuis. Het ruikt er naar bloemen en zondagse kleren. De mensen roeren treurig in hun koffie.

Vandaag wordt oma begraven.

'Is dát nou Madelief?' fluistert een vreemde mevrouw.

Madelief knikt verlegen.

'Wat ben jij groot geworden,' fluistert de mevrouw dan. Het is net of ze verbaasd is. Maar je kunt toch moeilijk kleiner worden eigenlijk.

Madelief kijkt naar opa. Hij is niet eens zo erg oud. Hij zegt haast niks, maar af en toe knipoogt hij naar Madelief. Dat is fijn, want ze voelt zich een beetje raar. Ze weet niet precies wat ze moet doen op een begrafenis. Ze kan wel huilen.

Hè hè, eindelijk komen de begrafenisauto's. Nu mag ze tenminste opstaan en het huis uit.

Bij de voordeur staat een meneer in een ingewikkeld pak. Hij is misschien de baas van de begrafenis, want hij wijst in welke auto de mensen moeten.

Madelief mag met haar moeder en opa in de eerste auto. Het is een hele mooie met zwarte gordijntjes van binnen.

Dan rijden ze. Heel langzaam, want anders raken ze elkaar kwijt, dat snap je.

Het hek van de begraafplaats staat open. De auto's hoeven niet eerst te wachten en bijvoorbeeld te toeteren. Dat is wel handig geregeld.

Op de begraafplaats stappen ze uit en gaan in de rij staan. Zes begrafenismannen dragen de kist waar oma in ligt. Je kunt niet zíén dat ze erin ligt. Dat moet je geloven.

Ze lopen er in een rijtje achteraan.

Dan komen ze bij een diepe kuil. Daar moet de kist in. En dan heet het een graf.

'Hoe komt die kuil daar?' fluistert Madelief.

'Die is gegraven,' fluistert haar moeder terug, 'door mannen.'

De kist wordt op een soort ding gezet, boven het graf. Madelief weet niet precies waar dat voor is.

Ze kijken met z'n allen naar de kist. Verder gebeurt er niks. Je hoort de vogels fluiten.

'Waarom zijn d'r zo weinig mensen?' vraagt Madelief zacht.

'Oma kende er niet zoveel,' antwoordt haar moeder.

Madelief kijkt om zich heen. Naar de bomen, naar het gras en de bloemen.

'Dat zou bij jou anders zijn hè,' fluistert ze. 'Als jij dood bent, staan ze te dringen, denk je niet?'

'Ja, dat denk ik ook.'

Het duurt lang en het is akelig stil. Sommige mensen huilen, maar opa niet.

Dan zakt de kist langzaam naar beneden, het graf in. Dát gaat mooi, hij schokt bijna niet.

'Hoe werkt dat, hoe werkt dat?' sist Madelief.

'Als een lift,' fluistert haar moeder.

'Ja, dat is fijn,' bromt opa, 'dat ze hier een lift hebben. Oma had zo'n hekel aan trappen.'

Madelief knikt. Dat begrijpt ze. Als iemand dood is, dan moet je die natuurlijk zo prettig mogelijk begraven. Zonder schokken. Met een lift.

Pleisters

Hans & Monique Hagen / Marit Törnqvist

onze poes is al zo groot
hij gaat al bijna dood misschien
als je dood bent, ben je stil
dan is er niks meer wat je wil
dan kun je niks meer horen
niks meer zien
dan kun je nooit meer wakker zijn
dan hoef je ook geen pleisters meer
dan krijg je nooit meer pijn

Moed

Mies Bouhuys / Fiep Westendorp

'Wat,' vraagt Pim, 'is moed, Pom?
Wat is moedig zijn?
Is het iets voor katten?
Is het naar of fijn?'
'Iets wat je niet durft, Pim
en wat je toch doet,'
zegt Pom na een poosje,
'dat noemen ze moed.'

'Niet doen wat je durft, Pom?
O, nee, andersom:
doen wat je niet durft, hè?
Zeg, durf jij dat, Pom:
in het water springen?
's Nachts de daken op?
Honden zoentjes geven
op hun kwaaie kop?'

'Mmm...' bromt Pom, 'ik weet niet.
't Hangt er maar van af,
want als je iets niet durft,
noemen ze je laf.'

En wát doet Pim?
Pim holt naar het stoepje
waar de grote hond
van de dikke slager
in zijn eentje zont.
Al Pims haartjes trillen
en zijn hartje klopt.
Stop! roepen zijn pootjes.
Denk je dat hij stopt?

Nee... hij drukt een zoentje
op die hond z'n kop
en dan, met een vaartje,
zoekt hij Pom weer op.
''k Heb de hond gezoend, Pom!
En van wie dat doet,
zal de wereld zeggen:
tsjonge, wat een moed!'

Een vervelend jongetje

Jacques Vriens / Alex de Wolf

Willem zit samen met zijn poes op het stoepje bij de keukendeur.

Dikke Teun zit een beetje te soezen. Hij knijpt zijn ogen dicht en gaapt. 'Ik ga naar binnen,' zegt hij dan, 'ik heb slaap. Ik ga even een dutje doen op het grote bed.'

'Blijf nou hier,' zegt Willem, 'ik wil met je spelen.'

'Miauw,' zegt Dikke Teun en hij sjokt naar binnen.

'Toe nou,' roept Willem, maar Dikke Teun sjokt gewoon door.

Willem loopt de tuin in. Midden op het pad staat zijn houten trein. Willem zakt op zijn knieën en duwt de trein voor zich uit.

'Tuuut... tuuut.'

Ineens hoort hij een stem. In de tuin van de buren staat een jongetje. Hij is hier pas komen wonen en is bijna net zo groot als Willem.

'Ik ben Frankje,' zegt hij. 'Ik wil met jouw trein spelen.'

Willem schrikt. Hij is nog altijd een beetje bang voor andere kinderen. Willem kijkt achter zich of Dikke Teun er misschien nog is. Maar hij ziet niks. 'Dikke Teun,' roept hij, 'Dikke Teun!'

'Nee, ik heet Frankje,' zegt het jongetje en hij klimt over het hek.

Willem staat op en rent gauw terug naar het stoepje bij de keuken. Daar blijft hij staan en kijkt met bange ogen naar Frankje.

Die zit al op het tuinpad en speelt met de trein. 'Tuut... tuut,' roept Frankje, 'dit is mijn trein.'

'Het is míjn trein!' roept Willem boos.

'Nietes,' zegt Frankje, 'ik heb hem gevonden.'

Kwaad blijft Willem staan kijken, maar hij zegt niks. Hij denkt wel: stomme Frankje, maar hij durft het niet te roepen.

Ineens voelt hij iets zachts langs zijn benen strijken. Daar is Dikke Teun weer.

'Hij pakt mijn trein,' zegt Willem.

Heel zacht, zodat Frankje het niet horen kan, antwoordt Dikke Teun: 'Ga erheen en zeg dat jullie sámen met jouw trein spelen.'

'Nee,' zegt Willem.

'Kom op,' fluistert Dikke Teun en hij loopt naar Frankje.

Als Frankje Dikke Teun ziet, roept hij: 'Een dikke poes met een staart.' Hij pakt de staart van Dikke Teun en trekt er hard aan. Dikke Teun springt een meter de lucht in en schreeuwt:

'MIAUW!'

Nu wordt Willem heel boos. Hij rent naar Frankje toe, geeft hem een klap en roept: 'Stomme Frankje! Je mag Dikke Teun geen pijn doen.'

Dan blijft Willem verschrikt staan: hij heeft Frankje zomaar een klap gegeven!

Nu is Frankje ook kwaad. Hij springt op en geeft Willem een stomp.

Willem loopt weg, zo hard hij kan.

Frankje rent achter hem aan en geeft hem nog een stomp.

Willem begint te huilen.

Ze hollen de hele tuin door. Voorop loopt Willem en daarachter Frankje. Maar vlak achter Frankje rent Dikke Teun.

'Mamma,' gilt Willem. Maar mamma hoort hem niet, want ze is op zolder.

Niemand kan Willem helpen, behalve Dikke Teun.

De poes maakt ineens een grote sprong en ploft voor de voeten van Frankje neer.

Frankje struikelt over Dikke Teun en blijft even liggen. Dan staat hij op, pakt de trein en gooit hem in zijn eigen tuin. 'Ik heb lekker jouw trein!' roept hij en hij klimt vlug over het hek.

Huilend staat Willem aan de andere kant van het hek en roept: 'Geef mijn trein terug!'

'Lekker puh!' zegt Frankje. 'Je krijgt hem nooit meer terug.'

Dan loopt er een meisje de tuin van Frankje in. Het is Nienke, zijn zusje. Ze is groter dan Frankje, want ze zit in groep drie. Ze kijkt naar Frankje en Willem en vraagt: 'Van wie is die trein?'

'Van mij,' snikt Willem.

Nienke pakt de trein van Frankje af en geeft hem aan Willem terug.

Nu begint Frankje te huilen: 'Boeoeoeh, het is mijn trein.'

Nienke pakt haar broertjes hand en trekt hem mee: 'Kom, je hebt binnen je eigen trein.' Ze zwaait nog even naar Willem en gaat met Frankje naar binnen.

Willem staat nog steeds bij het hek.

'Raar jongetje,' mompelt Dikke Teun en hij strijkt weer langs de benen van Willem.

Willem snikt: 'Hij heeft me gestompt.'

'En ik heb hem op zijn bek laten vallen,' zegt Dikke Teun.

'Mamma!' huilt Willem.

'Nu ophouden,' zegt Dikke Teun, 'niet aanstellen. Die stomp was niet hard en je hebt je trein weer terug.'

Willem veegt zijn tranen weg. 'Wat is Frankje een stom buurjongetje!'

Dikke Teun begint uitgebreid zijn staart te likken en zegt: 'Maar Nienke is een aardig buurmeisje.'

Dat is waar, denkt Willem.

Samen spelen ze met de trein: Willem en Dikke Teun. Willem roept: 'Tuut... tuut.' En Dikke Teun ronkt tevreden, maar zegt niets meer. Hij praat alleen als hij zin heeft of als het nodig is. En nu is het niet meer nodig.

Morgen ga ik naar China *Imme Dros / Harrie Geelen*

Morgen ga ik naar China. En dat is net goed. Dat zal jullie leren.
In China hebben de mensen maar één kind en een kind mag alles in China. Hij krijgt prachtig speelgoed en elke dag pannenkoeken met zuurstokken. En hij hoeft niet te delen met zijn stomme zusje, want hij heeft geen stom zusje dat alles kapotmaakt en altijd met de hijskraan moet als ik ermee wil.
En in China geven pappa's hun kind nooit een tik voor hun billen, ze zouden niet eens durven, want ze hebben maar één kind en als dat kind wegloopt houden ze niks meer over.
Pappa's in China doen wat kinderen vragen. Ze gaan mee naar het strand om een zandfort te bouwen. Ook op een dinsdag of een donderdag. Dan moet het werk maar wachten.

Of ze gaan mee naar de dierentuin als de olifant trompet blaast op zijn slurf. Ook als het heel laat is. Nacht bijvoorbeeld. Dan gaan ze nog mee. Pappa's in China hebben altijd tijd. En als ze geen tijd hebben, dan maken ze tijd.
Pappa's in China worden ook niet boos om niks. Helemaal niet.
En mama's in China sturen hun kind nooit naar bed als hij nog niet naar bed wil. Ze zouden niet durven. Dat kind is alles wat ze hebben. Een kind kan doen wat hij wil in China.
En de winkels in China geven altijd voorrang aan kinderen. Als die voor de toonbank staan met een briefje in hun hand, dan zegt de winkelman meteen: 'Meneer gaat voor want hij is een kind.' En alle Chinezen in de winkel knikken met hun hoofd. Ja ja ja, natuurlijk. Meneer gaat voor want hij is een kind.

Voor het eerst naar school

Doortje Hannig

Voor het eerst naar school.

De school was groot
er waren heel veel kinderen

en ik

wist de weg niet
naar de W.C.

Toen ik weer naar huis ging
droeg ik een Ae grote lila
onderbroek
en in een plastic zak
de mijne

Bronvermelding

Roosje kreeg een broertje Uit: Imme Dros en Harrie Geelen, *Het grote avonturenboek van Roosje*. Van Holkema & Warendorf 1998. Illustraties Harrie Geelen

Ik hou van jou Uit: Sam McBratney en Anita Jeram, *Raad eens hoeveel ik van je hou*. Lemniscaat 1994. Illustraties Anita Jeram

Met potjes en pannetjes Uit: Tamara Bos, de serie 'Brammetje Baas' in *Maan, roos, vis*, jaargang II en III. Zwijsen 2005. Illustraties Jan Jutte

Oma en Krullenbeer Uit: Mieke van Hooft, *Het grote boek van Sebastiaan*. Holland 1999. Illustraties Saskia Halfmouw

Logeren Uit: Hans en Monique Hagen, *Lichtjes in je ogen*. Querido 2006. Illustratie Marit Törnqvist

Grote families en kleine families Uit: Catherine en Laurence Anholt, *Allemaal familie*. Van Goor 1998

Een leuke tweeling Uit: Marianne Busser en Ron Schröder, *Het grote tweelingenboek*. Van Holkema & Warendorf 2001. Illustraties Harmen van Straaten

Potverdrie! Uit: Virginia Miller, *Potverdrie!* Zirkoon 1991 Illustraties Virginia Miller

Luilekkerland Uit: *Aan tafel met Leopold*. Leopold 2002 Tekst Dolf Verroen. Illustraties Jet Boeke 2002/2007

Bad Uit: Annie M.G Schmidt, *Het beertje Pippeloentje*. Querido 1994. Illustratie Harrie Geelen

Laatst moest ik zomaar Uit: Hans Kuyper en Annemarie van Haeringen, *Ik word wel koningin*. Leopold 1997. Illustratie Annemarie van Haeringen

Beer heeft altijd wat Uit: Nannie Kuiper, *Mijn beer heeft altijd wat*. Leopold 1983. Illustraties Dagmar Stam 2001

Samen Uit: Burny Bos, *Ot Jan Dikkie*. Leopold 1997. Illustratie Jan Jutte

Ik ben lekker stout Uit: Annie M.G. Schmidt *Ik wil alles wat niet mag*. Querido 2002. Illustratie Harrie Geelen

De kinderkrokodil Uit: *Alle dagen dierendag*. Leopold 2000. Tekst Hans Kuyper. Illustratie Annemarie van Haeringen

Paaseieren zoeken Uit: Jacques Vriens, *Drie ei is een paasei*. Van Holkema & Warendorf 1997. Illustraties Dagmar Stam

Allemaal wondertjes Uit: Marianne Busser en Ron Schröder, *Het grote versjesboek*. Van Holkema & Warendorf 1997. Illustratie Wilbert van der Steen

Een bult onder het zand Uit: *Zwemmen, zon en zand*. Van Holkema & Warendorf 2002. Tekst Joke Kranenbarg. Illustratie Pauline Oud

Strandlied van Kleine Ezel Rindert Kromhout 2007. Illustratie Annemarie van Haeringen 2007

Lied van de zee Rindert Kromhout 2007. Illustratie Annemarie van Haeringen 2007

Op de achterbank Uit: *Hoera, vakantie!* Leopold 2005 Tekst Sabine Wisman. Illustratie Alex de Wolf

Vakantie Edward van de Vendel 2007. Illustratie Martijn van der Linden 2007

Bil en Wil gaan op reis Uit: Rindert Kromhout en Jan Jutte, *Bil en Wil. Vijf kleine avonturen van twee grote vrienden*. Leopold 2003. Illustraties Jan Jutte

Onweer Uit: *Zwemmen, zon en zand*. Van Holkema & Warendorf 2002. Tekst en illustratie Francine Oomen

Herfstbladeren zoeken Uit: Rian Visser en Yvonne Jagtenberg, *Spinnentaart*. Gottmer 2002. Illustraties Yvonne Jagtenberg

Het jongedierenfeest Uit: Rian Visser en Yvonne Jagtenberg, *Spinnentaart*. Gottmer 2002. Illustraties Yvonne Jagtenberg

Sint-Maarten Uit: Simone van der Vlugt, *Potverdrie, Sophie!* Van Holkema & Warendorf 1999. Illustratie Alex de Wolf

Het heerlijk avondje Uit: Jaap ter Haar, *Het Sinterklaasboek.* Van Holkema & Warendorf 1998. Illustraties Harmen van Straaten

Sneeuw Uit: Hans Hagen en Philip Hopman, *Jubelientje pakt uit.* Querido 2005 Illustraties Philip Hopman

Vogels voeren en *Lekker sleeën* Uit: Nannie Kuiper en Philip Hopman, *Soms zie ik 1000 lichtjes.* Leopold 2001. Illustraties Philip Hopman

Winterdracht Uit: *Winterpret*. Leopold 2005. Tekst en illustratie Doortje Hannig

Een witte kerst Uit: Koos Meinderts en Annette Fienieg, *Het grote boek van Kuik en Vark.* Leopold 2005. Illustraties Annette Fienieg

Oudejaarsavond Uit: Burny Bos en Harmen van Straaten, *Knofje*. Leopold 2001 Illustratie Harmen van Straaten

Kleine poesjes Uit: Jacques Vriens, *De liefste avonturen van Tommie en Lotje.* Van Goor 2000. Illustraties Harmen van Straaten

Jokken Uit: Miep Diekmann en Thé Tjong-Khing, *Het grote boek van Hannes en Kaatje.* Querido 1989. Illustratie Thé Tjong-Khing

Sssst! Uit: Selma Noort, *Nou moet jij!* Uitgeverij De Inktvis 2004. Illustraties Sandra Klaassen

Een boze baby Uit: Selma Noort, *Pak me dan!* Uitgeverij De Inktvis 2003. Illustraties Sandra Klaassen

Woorden zijn gek Uit: Hans Kuyper en Annemarie van Haeringen, *Ik kan alle woorden lijmen.* Leopold 2003. Illustratie Annemarie van Haeringen

Verhuisdag Floortje Zwigtman 2007. Illustraties Philip Hopman 2007

Drie nachtjes slapen Uit: Lydia Rood, *Roosmarijn kan alles.* Leopold 2003. Illustratie Annemarie van Haeringen

Kikker is jarig Uit: *Ik ben jarig.* Leopold 1996. Tekst en illustratie Max Velthuijs

Tellen met muis Uit: Lucy Cousins, *Tellen met muis*. Leopold 1997

Kleuren kijken met muis Uit: Lucy Cousins, *Kleuren kijken met muis.* Leopold 1997

Auto's, auto's, auto's! Uit: Kathy Henderson en Charlotte Hard, *Auto's, auto's, auto's.* Uitgeverij Holland 1999

De egel is ziek Uit: Hanna Kraan, *De boze heks is weer bezig.* Lemniscaat 2001. Illustraties Annemarie van Haeringen

Begrafenis Uit: Guus Kuijer en Mance Post, *Het grote boek van Madelief.* Querido1983. Illustratie Mance Post

Pleisters Uit: Hans Hagen en Marit Törnqvist, *Lichtjes in je ogen.* Querido, 2006. Illustratie Marit Törnqvist

Moed Uit: Mies Bouhuys en Fiep Westendorp, *Pim en Pom blijven vriendjes.* Querido, 2005. Illustratie Fiep Westendorp

Een vervelend jongetje Uit: Jacques Vriens, *Willem en Dikke Teun.* Van Holkema & Warendorf 1997. Illustraties Alex de Wolf

Morgen ga ik naar China Uit: Imme Dros en Harrie Geelen, *Morgen ga ik naar China.* Uitgeverij Querido 1995. Illustraties Harrie Geelen

Voor het eerst naar school Uit: *Allemaal naar groep één.* Leopold 2000. Illustraties Doortje Hannig